JN023190

青木理

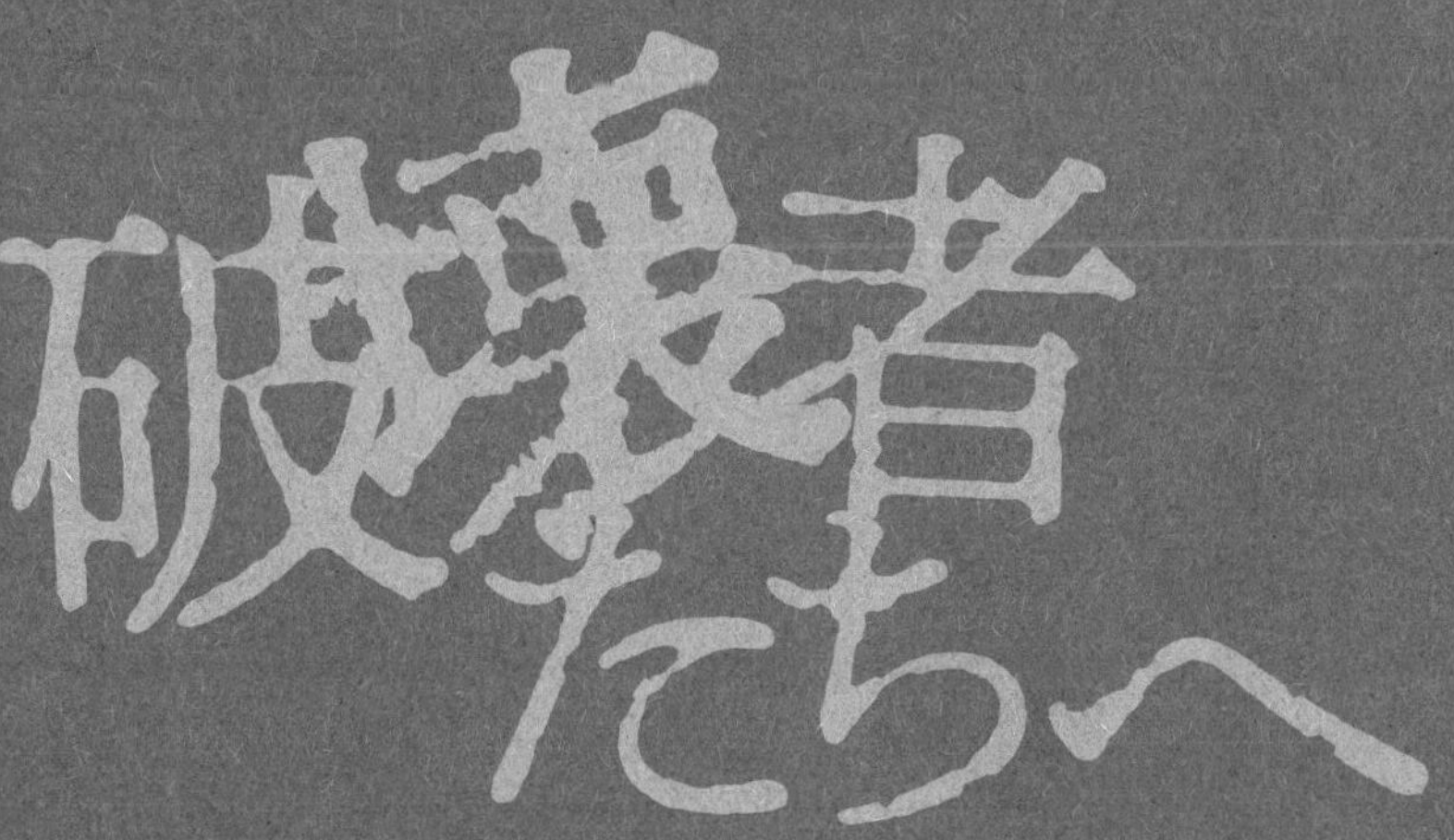

毎日新聞出版

破壊者たちへ／目次

2018年

2019年

辺野古で何が起きているのか

2020年

2021年

ブックデザイン　鈴木成一デザイン室
写真　毎日新聞社

破壊者たちへ

序に代えて

　まるで破壊しつくされた瓦礫のなかにいるような気分でこの序文を書きはじめている。

　直近では、感染症のパンデミック下で五輪は強行された。あらかじめ十分予想されたとおりに感染は爆発的に広がり、首都圏などでは医療体制が崩壊状態に陥り、病院にアクセスさえできず命を落とす人が続出した。いまなお収束はみえず、自宅で放置状態の感染者は数万の単位に達している。

　しかも五輪をめぐって無残な醜聞も続々発覚し、この国の恥部が世界へと盛大に喧伝された。世界最低レベルのジェンダーギャップ、なのに平然と蔑視発言を放つ有力者、密室で多くが決まる閉鎖政治と組織文化、障碍者や弱者への根深い偏見と差別、あるいは国際的に到底容認されない歪んだ歴史認識、いずれもこの国の政治と社会に長く巣食った悪弊ばかりである。

　だが、すべて放置されてきた。この島国ではさほど問題視もされず、時には政治が堂々とそれを固守し、時に冗談や笑いのネタにさえされてきた。一種の外圧でようやく可視化され、改善すべき課題として眼前に積みあがったが、五輪が終わったいま、政治にそれと向き合う熱意はみられない。

さらに視野を広げてこの20年ほどを振り返れば、排他や不寛容の風潮を為政者が盛んに煽り、提灯持ち連中が囃し立て、隣国やマイノリティーに薄汚い悪罵を浴びせる情景がすっかり日常化した。同時に為政者たちは修正主義的な歴史観を振りかざし、戦後かろうじて堅持してきた歴史観や歴史認識をひどく歪ませている。

その為政者の放埒な権力行使を制御する憲法も真正面から蔑ろにされた。国権の最高機関たる国会も軽んじられ、しかも国会には反知性的なチルドレンが増殖し、為政者の無茶な振る舞いにただつき従っているのみ。

すべてが劣化し、統治機構は根腐れた。口を開けば嘘、詭弁、虚言ばかりの為政者は禁断の人事権も放埒に行使し、政権と距離を置くべき要職にお友だちを送り込み、官僚は忖度とヒラメの気風に席巻された。国家の記録たる公文書は隠され、棄てられ、果ては為政者の嘘に沿って改竄され、そもそも作られない。すさまじいまでの退廃である。

もっと大きな視野でこの国を眺めれば、少子高齢化に歯止めはかからず、人口は首都圏に集中して地方は過疎に喘ぎ、貧困と格差は拡大し、持続可能な財政や社会保障の将来も杳として描けない。その首都で五輪を強行する壮大な愚。つまり眼前に横たわっているのは、課題に向き合わず戦後の蓄積をただ食い潰し、矜持まで破壊した為政者たちによって積みあげられた瓦礫の山である。

なのに「国民の命と財産」がまさに危機に瀕したパンデミック下、無為無策に終始した為政者たちは次々と政権を放り出し、いまその筆頭者がキングメーカーを気取り、後釜に座ろうとする者たちとまたも権力闘争にうつつを抜かしている。

本書に収めたのはつまり、そうして破壊活動に邁進した為政者たちへのささやかな抵抗の記録である。いずれも雑誌に寄稿した時評コラムなどをまとめたのが本書だが、なかには懸命に抵抗を続けている人びとへの取材記録——ルポルタージュも何本か含まれている。このままではおそらく何十年か先、私たちは恥の世代として認識されてしまうだろうが、できうるならせめて抵抗を試みる側に身を寄せ、その爪痕ぐらいは残しておきたいと思いつつ本書は編まれた。だから本書は、破壊者たちに向けた抵抗継続宣言でもある。

2018年

統治の道具

年があらたまっても不思議な気分のままでいる。保守とか右派を自認する人びとは、なぜ不満や憤りを表明しないのか。政権の振る舞いになぜ疑義のひとつも突きつけないのか。

昨年12月1日、天皇退位の日程にかんする皇室会議が開かれた。これによって2019年4月末をもって今上天皇が退位し、新天皇が即位すると決まった。

戦後の皇室典範が定めた皇室会議の開催は8回目で25年ぶり。天皇の生前退位は実に200年ぶりのことだという。天皇制そのものや生前退位への評価はともかく、この国の歴史と時代の大きな節目であることに異論はないだろう。

それを決した皇室会議には皇族と三権の長ら計10人が出席し、議長は首相が務めた。陪席した官房長官などによれば、会議は1時間15分ほど開かれ、10人の出席者は全員がなんらかの意見を表明した。

しかし、事後に公表されたのは〈議事概要〉のみ。全出席者から出たという意見は次のように記されているだけである。

〈天皇陛下には1月7日の御在位満30年の節目をお迎えいただきたいこと、国民生活への影響等を考慮すること、静かな環境の中で国民が天皇陛下の御退位と皇太子殿下の御即位をこぞって寿ぐにふさわしい日とすることなどの意見の表明が行われた〉

出席者全員が発したという意見をまるめてしまったのか、盛り込まれなかった異見や異論があったのか、これではまったく判然としない。しかも『毎日新聞』（17年12月21日付朝刊）の報道によれば、出席者の発言の詳細を記録する議事録は作成されなかった、という。過去の皇室会議では作成していたにもかかわらず、である。

公文書の作成や管理全般のお粗末さは措くにせよ、200年ぶりという退位日程を決した会議録である。直ちに公表するかどうかはともかく、どのような議論を経て日取りを選んだのか記録し、後世に伝えるのは為政者の責務。まして天皇制や皇室の存在を「日本の伝統」として重んじるなら、記録の伝承に心血を注ぐのは当然であろう。だが、現政権にその気配は微塵もない。

このところ政治記者や皇室担当の記者に話を聞くと、「官邸と宮内庁の暗闘」がしたり顔で語られる。生前退位や日程等をめぐって官邸と宮内庁の間で意見の相違があり、官邸が必死に抑え込もうとしている、と。それをなぜ詳細に報じないのかと苛立ち、政権への忖度ムードや皇室タブーの厚みに絶望しつつ、別の疑念も湧いてくる。

要するに昨今威勢のいい保守や右派は、天皇や皇室を敬うと言いながら天皇や皇族の意向などに関心はなく、統治の道具として自らに都合のいい天皇像に固執しているだけ。そうでないというなら憤り、真正面から疑義を突きつけるべきだろう。天皇や皇族の意向を軽んじ、天皇制の大きな節目にかかわる記録すら残そうとしない政権に対して。

２０１８年01月21日

報道と恥

昨年12月12日、『産経新聞』の朝刊（東京本社発行版）にこんな記事が載った。

〈12月1日に沖縄県沖縄市内で発生した車6台の多重事故から日本人を救出した在沖米海兵隊の曹長が後続車にはねられ、意識不明の重体となった。「誰も置き去りにしない」との米海兵隊の規範を身を挺して貫いた行動に対し回復を祈る動きが広がっているが、「反米軍」色に染まる地元メディアは黙殺を決め込んでいる。／自身の車も事故に巻き込まれた曹長は路肩に車を止めて飛び出し、横転した車両から50代の日本人男性を脱出させた。現在は米カリフォルニア州の海軍医療施設に移送され集中治療を受けている。救出した男性は軽傷で済んだ。／一方、「琉球新報」「沖縄タイムス」の2紙は事故自体は報じたが、曹長による日本人救出の事実にいまだに触れていない。米軍がらみの事件・事故が起きればことさら騒ぎ立て、善行に対しては無視を決め込むのが沖縄メディアの常となっている〉（抜粋、記事中の実名などは略）通信社の元記者としてすぐに違和感を覚えるのは、新聞記事としては安易な決めつけが目立つ点と、情報源がほとんど明示されていない点だが、筆者の那覇支局長は産経ネット版でさらに長文の記事を書き、沖縄2紙を〈報道機関を名乗る資格はない〉〈日本人として恥〉とまで罵（ののし）っている。

これに対し『琉球新報』は、1月30日の朝刊にこんな記事を載せた。

〈米海兵隊は29日までに「（曹長は）救助行為はしていない」と本紙取材に回答し、県警も「救助の事実は確認されていない」としている。県警交通機動隊によると、産経新聞は事故後一度も同隊に取材していないという〉（同）

さらに『琉球新報』は、こうも書いている。

〈産経の報道後「なぜ伝えないのか」という意見が本紙に多く寄せられた。最大の理由は、県警や米海兵隊から救助の事実確認ができなかったからだ。海兵隊は「救助行為はしていない」と回答したが、曹長が誰かを助けようとした可能性は現時点でも否定できない。救助を否定することでいわれのない不名誉とならないか危惧した。／それでも今回報道に至ったのは、産経が「報道機関を名乗る資格はない。日本人として恥だ」と書いたことが大きい。純粋に曹長をたたえるだけなら、曹長の名誉に配慮して記事内容をただすことはなかったかもしれないが、沖縄メディア全体を批判する情報の拡散をこのまま放置すれば読者の信頼を失いかねない。／報道機関が報道する際は、当然ながら事実確認が求められる。産経は、自らの胸に手を当てて「報道機関を名乗る資格があるか」を問うてほしい〉（同）

さて、どちらの記事が正しいのか、それこそ直接取材していない私は軽々に断定できない。ただ、入念な取材と慎重な筆運びが際立つ『琉球新報』記事のとおりなら、『産経』はまさに胸に手を当てて自問し、訂正・謝罪した方がいい。事実誤認に加え、沖縄に下衆（げす）な侮蔑を吐きかけたことを。

2018年02月18日

（追記）『産経』はその後、当該記事を削除し、おわびした。

儒教と日本

中国や韓国は「儒教に支配され」ているから「悲劇」だと題する本が少し前、この国の最大手出版社から刊行された。仕事の用あって私もざっと目を通したが、案の定というか、予想以上にというか、隣国のマイナス点をことさらフレームアップし、これに妄想や虚偽をまぶし、隣国を罵倒、見くだす明白なヘイト本だった。そもそも儒教のなんたるかも、両国がどう儒教に「支配され」ているかも、ほとんど記されていないのだから、トンデモ本の類いともいえる。なのに昨年のベストセラーランキングでは上位に入り、情けないことについ先日、同じ出版社から第2弾が出た。この国の出版文化はまことに末期的である。

一方で最近、興味深い本も読んだ。『儒教が支えた明治維新』（晶文社）。著者の小島毅氏は中国思想史を専門とする東大大学院教授で、「あとがき」にこう書いているから、ヘイト本の流行に危機感を抱いて本書を著したのだろう。

〈儒教というものは、日本国内で広く知られているようでいながら、偏った見方・誤解が蔓延している。（略）近年もさる米国人がこれと同類の本を出版して大変な人気となったのは、嘆かわしいとともに、私たち儒教研究者の非力を思い知らされるできごとだった〉

では、儒教とはなにか。中国、韓国、そして日本にどのような影響を与えたのか。詳しく紹介する紙幅はないが、小島氏の指摘をいくつか引用してみよう。

〈武士たちの間に儒教が本格的に広がるのは江戸時代になってからです。そのときに、侍たちの生きる道である士道、さらにそれに武の字をつけて武士道と呼ばれるようになるわけです。この士道の核を成す倫理道徳として儒教が使われるようになっていく〉〈記紀、特に『日本書紀』はそもそも中国儒教思想の影響下に編纂（へんさん）されました。自分たちの歴史を漢文で書こうなどというのは日本にもともとない発想です〉〈靖国神社は儒教、朱子学の教義を源流とする施設で、その意味では中国伝来であるということで〉

つまり日本だって「儒教に支配され」てきた。その上で小島氏はこう書く。

〈明治の脱亜入欧はそれまでの中国との長い交際の性格を変えるものだったが、それが容易に可能になったのは日本が唐や明から受容した儒教の考え方のおかげだった。遣唐使時代の留学生や遣明使時代の禅僧たちは、仏教や儒教を伝えることで日本の伝統文化を作り上げてきた。中国だけではなく、韓国からも文化の伝来があった。このことをきちんと認識していない人たちが唱える嫌中論・嫌韓論は、ことわざにいう「天に向かって唾を吐く」ものである〉

考えてみれば、当たり前のことである。だが、当たり前のことを意識的か無意識的か忘却し、隣国に罵詈(ばり)雑言ばかり投げつける言説が公然と流通する昨今、専門家が真正面から事実を摘示する著作を世に出すのは、この国に真っ当な出版文化がかろうじて息づいていることを感じさせる希望でもある。

2018年03月18日

システムの腐臭

有印公文書の改竄(かいざん)という空前の国家犯罪を前に、記しておくべきことは多いが、敢(あ)えて喧騒(けんそう)を離れ、ここしばらくの間に起きたことごとを俯瞰(ふかん)して考えたい。メディアやジャーナリズムの世界に携わっていると、往々にして喧騒の只中(ただなか)で全体像を見失ってしまいがちだからである。

そうしたメディアの性癖とも無縁ではないだろうが、加計(かけ)学園問題は最近あまり騒がれない。ただ、首相の「腹心の友」が率いる学園の獣医学部新設は、「1強」政権の強引なやり口で行政が歪められたと憤り、一部の文部科学官僚が公然と反旗を翻した。「総理のご意向」などと記された内部文書がメディアに漏れ出し、ついには文科官僚トップだった前川喜平氏までが実名告発に踏み切ったのである。「あるものをないことにはできない」。そう声をあげた前川氏は、政権が「怪文書」扱いした文書の真正性などを証言し、政権は激震に見舞われた。

こう書けば前川氏らには失礼かもしれないが、確かに政権は揺れ、支持率は一時急落したものの、致命傷には至らず、学園の獣医学部新設も容認され、問題は過去のものとして遠景に去りつつある。

直近では、厚生労働省が政権を揺るがせる震源地となった。働き方改革関連法案と名づけた法案群のうち、裁量労働制を拡大する法案の根拠とされたデータがあまりにずさんだったため、強硬一本やりの政権も法案提出の断念に追い込まれたのである。

詳細を記す紙幅はないが、もともと前提条件が異なるデータを比較したのだから論外の所業。子どもでもわかりそうな話なのに、しかし、厚労官僚はそうしたデータを平然と作成し、堂々と示した。それが「1強」政権の意向に無理やり合わせた忖度なのか、確信犯的なサボタージュなのか、あるいは劣化なのか、真相は分からない。ただ、常識では考えられないことを厚労官僚はしでかした。

そして渦中の森友学園問題である。財務省は、文科省などとは対照的に、徹底して政権にひれ伏した。財務官僚は国会で虚偽答弁を繰り返し、それに合わせるためか、政権側から指示があったのか、これも真相はいまなお不明だが、公文書改竄という犯罪にまで手を染めた。

一時はその労を評価され、矢面に立った官僚は出世を果たしていたが、問題が顕在化すると見事に切られ、責任を全面的に押しつけられ、組織の末端では自殺者まで出た。

文科省と厚労省と財務省。各省の対応も、表面化した事象も異なるが、汚辱にまみれた官僚組織の内部にいま、どのような雰囲気が漂っているのだろうか。ある者は反旗を翻して敗れ、ある者は屈従の末に捨てられ、多少なりとも良心ある官僚たちは、眼前の荒涼たる風景をどう眺めているのだろうか。

もとより、従来の官僚制を守れなどというつもりはない。ただ、この国の根幹的なシステムがいま、腐臭を発して崩れ落ちつつある。その根源をさかのぼれば、すべて「1強」政権の無茶で強権的な官僚支配にたどりつく。公文書改竄という空前の国家犯罪は、その一端が噴出したにすぎない。

2018年04月01日

下へ下へ

行政官僚による公文書改竄という未曽有の犯罪的行為。その全責任を政権はいま、財務省理財局に押しつけようとしている。一方、当時の理財局トップは先日の証人喚問で「局長としての責任」は認めつつ、改竄の理由や経緯などは「刑事訴追のおそれ」を盾に一切明かさず、国会での虚偽答弁を追及されると、こうも抗弁した。

「基本的には職員が答弁を書く」「上がってきた答弁を読み込んでいたのが実態だ」

要は部下が悪いということか。

首相や首相の妻の関与が囁かれる疑惑をめぐり、行政府の中枢で引きおこされた公文書改竄。だというのに行政府の長である首相も、財務相も責任を取らず、すべての責任は下に押しつける。押しつけられた側のキャリア官僚は、さらに下へと責任を転嫁する。そこに漂うのは政権維持への打算と関係者の保身のみ。そして行政府の最下部では、自ら命を絶つ者まで現れている。ああ、果たしてこれが「美しい国」か。

政治主導。もっともらしい名分の下、各省庁の幹部人事を牛耳る内閣人事局の問題点なども、さまざま指摘されている。民主党政権を含む近年の政権が唱え、現政権下で新設されたものではあるが、現状を俯瞰すれば、その実態は政治主導の美名とほど遠い。

基本的に各省庁を本来率いるべきは、大臣としてトップに座る政治家である。各省庁の官僚を適切に遇し、専門的知見を受けて行政を推進するのが政治主導。だが、森友、加計学園問題の背後にちらつくのは官邸の影ばかり。各大臣の影はひどく薄い。

つまりこれは政治主導などではなく官邸主導――いや、もっと正確に記せば、官邸による官僚支配、人事や情報を握った官邸の恐怖支配と評すべきだろう。

そうした現状に反旗を翻した元官僚を思い出す。「あったことをなかったことにはできない」。ごく当たり前の動機を口にした元官僚は、私的な行動を大手メディアに暴露され、政権幹部からは「地位に恋々としがみついていた」などと罵られた。

つい先ごろも、名古屋の中学の授業に招かれたその元官僚は、教育の自主自律という大原則すら無視した攻撃にさらされた。政権に近い右派議員の圧力を受け、あろうことか文科省が地元市教委に対し、教育内容への直接介入とも受け取れるメールを送りつけたのである。そこにはこんな一文が刻まれていた。

〈在任中にいわゆる出会い系バーの店を利用し、そこで知り合った女性と食事をしたり、時に金銭を供与したりしていたことなどが公になっています。こうした背景がある同氏について、道徳教育が行われる学校の場に、また教育課程に位置づけられた授業において、どのような判断で依頼されたのか具体的かつ詳細にご教示ください〉

ごく当然の動機から真実を明かしただけの元官僚が露骨な攻撃を受ける様を眺め、多少なりとも真っ当な官僚たちが何を思い、今後どう振る舞うか。「美しい国」の内部では、官僚たちの根本的なモラル＝道徳の腐食がさらに進むに違いない。

2018年04月15日

揺れる沖縄

那覇にいる。このところほかの取材などに追われていて、沖縄入りするのは数カ月ぶりだが、来るたびに新しい発見がある。知っているつもりでも、知らないことがたくさんある。

那覇に着き、まずは最近の沖縄紙を読み返していて見つけた記事もそのひとつだった。琉球新報にも沖縄タイムスにも載っているが、全国紙で読んだ記憶はない。4月6日付の琉球新報から引いてみる。

〈昨年12月の米軍大型ヘリによる窓落下事故があった沖縄県宜野湾市の普天間第二小学校（桃原修校長）で、米軍機接近による児童の避難は、運動場の使用が再開された2月13日から3学期が修了した3月23日までの39日間に合計242回に上ったことが同校のまとめで分かった。最も多い日は一日に29回で、20回以上の日が3日間あった。米軍機接近による避難によって体育の授業は中断する〉

1日の避難回数が29回？ これでは授業どころではない。にわかに信じがたい惨状である。

琉球新報はこうも書いている。

〈普天間第二小では児童が校内にいる午前8時45分から午後4時半までの間、嘉数高台と校舎屋上で米軍機の飛行を監視する沖縄防衛局の連絡を受けて、小学校方面に米軍機の離陸が確認されると避難指示が出る。指示が出ると運動場など屋外にいる児童は校舎内に避難する。（略）「避難が2回あれば授業にならない」と桃原校長〉

そもそも普天間飛行場周辺では、昨年の窓落下事故を受け、政府と在日米軍が「可能な限り宜野湾市内にある学校上空の飛行を避ける」と約束したはず。

だが、約束は軽々と破られている。沖縄との約束などその程度のもの、とでも考えているのか、市街地の真ん中に位置して「世界一危険な基地」と評される普天間では、約束を守りようもないということか。

そんな沖縄でいま、翁長雄志（おながたけし）知事の健康問題が急浮上している。人間ドックで膵臓に腫瘍が見つかり、公務には復帰するものの、今月中に切除して良性か悪性か見極めるという。結果次第では、11月に想定される県知事選の行方を大きく左右する。

普天間の県内移設反対を掲げて「オール沖縄」体制を築いた翁長氏の出馬が叶わなければ、知事選の構図は一気に流動化する。沖縄紙の編集幹部らも「別の候補はいまのところ想定できない」と口を揃える。

一方、翁長知事の再選阻止を目指す政府・与党は勢いづく。新基地建設反対派の市長を政権が躍起になって蹴落とした先の名護市長選につづき、近く沖縄市長選も行われる。翁長体制をさらに追い込む思惑なのだろう、与党からすでに幹事長が現地入りし、総務会長や政調会長もやってくる。

沖縄はまたも本土の強権とカネで押しつぶされてしまうのか。現状にもっと近づくため、これから新基地建設が強行されている名護市辺野古に向かう。それから米軍ヘリパッド新設で揺れる東村（ひがしそん）高江にも足を延ばしてみるつもりだ。

２０１８年04月29日

記者の死

アフガニスタンの首都カブール発のＡＦＰ通信電で、あの記事を読んだのはいつのことだったか。ＡＦＰのネット版を調べると、配信は一昨年の秋だったらしい。

これはいまさら記すまでもないネットの利便性だが、パソコンやスマホで世界中のニュースをつぶさにチェックできる。この記事もそうして目を通したものだったが、妙に印象深く記憶の片隅に残っていた。

〈When hope is gone――希望が消え去った時〉。そんな見出しを掲げた記事はこう書き起こされていた。

〈米国の侵攻後は、大きな希望の時だった。黄金の歳月だった。タリバン統治の暗黒が終わり、ついにアフガンがより良い生活の道に乗ったと思われた。だがいま、15年の時が経ち、あの希望は消え失せ、生活は以前より過酷である〉

２００１年の９・11テロを受け、米国が着手したアフガン侵攻戦。記事もこれを「invasion=侵攻」と明確に記しつつ、同時に「希望」「黄金」と評するのに違和感を覚えた。ただ、アフガンの人びとがタリバンの狂信統治に苦しんでいたことを考えれば、「希望」を抱いたって無理からぬことにも思われた。

だがいま、希望は消え去ったという。記事はこう続き、こう結ばれている。

〈米国の介入から15年経ち、アフガン人にはカネもなく、仕事もなく、ドアの外にいるのはタリバンだけ。２０１４年に外国軍の主力が撤退したのに伴い、多くの外国人が去り、忘れ去られた。何十億ドルものカネが、この国に注ぎ込まれたことも〉

〈これほど生活に希望が持てないと感じたことはない。出口も見えない。ひどく不安な時である〉

記事には、写真が何点も添えられていた。自爆攻撃で破壊しつくされた市場。廃墟と化した街を歩く市民。爆弾攻撃で父を失い、泣き崩れる男性。最初に読んだ時は記者名を気にとめなかったのだが、一連の写真を撮影し、記事を共同執筆したのはＡＦＰカブール支局のシャー・マライだった。

そのマライがこの4月30日、死んだのを知ったのもＡＦＰ電だった。カブール中心部で起きた自爆攻撃を取材中、集まった報道陣を狙ったらしき2件目の攻撃に巻き込まれたという。ＡＦＰによれば、マライは１９９６年に運転手として雇用され、やがて写真を撮影するようになった。近年はカブール支局の主任写真記者として活躍し、妻との間に6人の子どももいたという。

なのに希望を失い、かつてない不安を訴えていたマライ。その死などを受け、仏外相は「ジャーナリストが職務を理由に狙われ、殺害されたりするのを容認できない。彼らは職務を遂行することで、私たちの自由を守っている」との声明を出した。

声明は5月3日、世界報道自由デーに合わせて出された。それは31年前、朝日新聞の阪神支局が襲撃された日でもある。マライも忘却を嘆いていた。忘れてはならないことが多すぎる。

金魚の糞

2018年05月27日

はてさて、どう評価すべきか。先ごろシンガポールで行われた米朝首脳会談は、なんとも期待はずれというか、具体的な中身がないのに落胆した、というのが一般的な受けとめだろう。なのに米大統領の自画自賛ぶりに辟易した、という向きも多いに違いない。「北朝鮮憎し」に凝り固まった日本メディアはもちろん、欧米の主要メディアもかなり批判的に報じている。

正直言って私も、似たような気分ではある。歴史的とか、史上初とか、そういった仰々しい枕詞（まくらことば）のわりに実効性ある成果や前進に乏しく、肩すかし。超大国に生まれた異形の大統領と北の若き独裁者による、それぞれの思惑と打算を下敷きにした政治ショーの色彩は拭えない。ただ、それでも両者が直接会って手を握りあったことの意味は小さくない。何よりも武力行使の可能性すらささやかれた朝鮮半島情勢は、緊張局面から対話局面へと舞台の書き割りが大きく転換した。

その立役者になったのが、韓国の現政権だったことに異論は少ないだろう。もともと筋金入りの南北対話論者だった韓国大統領は、武力が行使されるような事態だけは何としても避けたいという想いも抱え、平昌五輪を機に南北対話の気流を醸成し、米朝首脳の初会談へと道筋をつけた。もちろん北の若き独裁者にも超大国の異形の大統領にも、それぞれ内外にさまざまな思惑と打算があったにせよ、韓国大統領が自らの信念と構想、そして必死の説得で両者を握手に導いたともいえる。

ひるがえって我が首相はどうか。異形の大統領にいち早く食い込み、良好な関係を声高にアピールし、対北政策では「１００％ともにある」とまで断言していたが、功名心なのか気まぐれなのか、異形の大統領はあっさりと路線を変更した。すると我が首相もあわてて方針を修正し、日朝対話の必要性に言及しはじめた。

皮肉を込めて言えば、「１００％ともにある」という台詞に偽りはない。異形の大統領が右といえば右、左といえば左、要するに終始一貫した金魚の糞、あるいは下駄の雪。挙げ句の果てに日本独自の外交課題である拉致問題まで大統領に懇願する始末。

要するに信念も構想もなく、異形の大統領に従属し、振り回され、すがりついているだけ。なのに首相は御用メディアのインタビューで今回の米朝首脳会談について「日本が国際社会をリードしてきた成果」と嘯き、御用メディアの側も米朝首脳の会談場所がシンガポールに決まったのは首相の進言があったからだと根拠不明のヨイショで応じる。バカを言うのも大概にしたほうがいい。

さて、今後の米朝関係がどう推移していくか、まさに異形の大統領と若き独裁者ゆえ、しかとは見通せない。楽観もできない。ただ、地殻変動が起きはじめた半島情勢に日本はまったく貢献できていない。それは皮相な「北朝鮮憎し」の風潮を蔓延させ、政権浮揚に悪用し続けてきた首相の自業自得でもある。

２０１８年07月01日

「腹心の友」

顔つきや振る舞いで人を判断するのは安易であり、第一印象で人を決めつけるのが愚かであることは承知している。ただ、初印象は人との関係を時に左右し、顔や振る舞いには人の本質がしばしばにじみ出る。

疑惑が一大政治問題と化してすでに1年、渦中の人物がようやく公の場に姿を見せた。首相との親密な関係をテコに半世紀ぶりの学部新設を成し遂げ、その過程で行政が大きく歪められた――そんな疑惑の眼を向けられている加計学園の加計孝太郎理事長である。

初の理事長会見がはじまったのは6月19日の午前11時。だが、学園の本拠地である岡山で開かれた会見が告知されたのは同9時。しかも地元記者以外は排除し、わずか30分の予定の会見も25分で打ち切り。真摯に説明する気など毛頭なく、アリバイ的な会見の姑息さはすでに各所で指摘されているから、ここでは詳しく記さない。

それより私は、理事長が一体いかなる人物か、興味津々で会見を眺めた。そして得心した。ああ、やっぱりなと。首相が国会の場で「腹心の友」とまで公言する男とは所詮、この程度の人物なのだな、と。

会見ではこんなやりとりがあった。


——なぜ愛媛県に虚偽説明したのか。

「記憶にも記録にもありません」

——事務局長が勝手にやったのか。

「本人が勝手にやりました」

——事務局長から報告を受けたのはいつか。

「記憶にありません」

——原因究明は。

「今後気をつけます」


わざと人を怒らせようとしているのか、心中は定かでないし、知るよしもない。ただ、県への虚偽説明などという主張自体、首相を守るためにひねり出した屁理屈。だから記憶も記録もないと開き直り、しかし責任は下に押しつけて平然とする。誰ぞの振る舞いと完全に相似形だが、実は臆病で小心なのだろう。地元記者から厳しい質問が飛びはじめると、事務方に「もういい？」「いいね？」と小声で助け舟を求め、30分の会見すら耐えきれずに退席した。その顔つきや振る舞いに姑息で小心な本質がにじみ出る。こんな人物が一国の首相の「腹心の友」だというのだから、なんだか情けなくて泣きたくもなってくる。

もっとも、首相の生い立ちを取材した私は、「人を見る目のなさ」が首相の、数えきれぬほどある欠陥の一つだと思っている。現に彼が寵愛した閣僚やチルドレン議員を見よ。質の悪いネトウヨまがいの連中が群れをなしている。

理事長も同じだろう。2人が知り合ったのは若き日の米国留学時。そう書けば何だか立派だが、実際は経歴に箔をつけるためであり、語学勉強に毛の生えた程度の遊学。かたや政治家3世、かたや学校法人の御曹司がなぜ親しくなったか、さほど深遠なものでないのは容易に想像できる。

深刻なのは、そんな連中に政治が私され、人を小馬鹿にした嘘と振る舞いが許容されている現状だろう。小馬鹿にされているのはもちろん、私たちである。

2018年07月08日

耐え難い苦み

7月6日、かつてオウム真理教を率いた松本智津夫死刑囚ら7人の死刑が執行された。速報ニュースでそれを知った瞬間、ひどい徒労感を覚え、ひどい苦みが口中に広がった。直後に共同通信の依頼を受けて書いた原稿と重なる部分は多いが、その理由をこのコラムでも記録しておく。

1995年、阪神大震災の傷も生々しい3月20日に地下鉄サリン事件が発生し、警視庁を筆頭とする全国警察はオウム殲滅（せんめつ）戦ともいえる捜査に乗り出した。さまざまな意味で確かに戦後最大級の事件、戦後最悪級の組織犯罪だった。

だが、どこまで真相は明らかになっただろうか。真相を明らかにしようと、私たちは叡智（えいち）を結集しただろうか。

まずは警察捜査の問題点である。89年に起きた坂本弁護士一家殺害事件は、一家の失踪現場に教団のバッジが残され、犯行に加わった教団幹部が神奈川県警に重要情報を通報もしていた。早期解決のチャンスは確実にあったし、解決していれば以後の教団犯罪は防げたのだから、徹底して原因と責任を洗い出すべき大失策だった。

また、あれほど多くの若者たちが未曽有の犯罪に手を染めたのはなぜか。マインドコントロールなどという単語でもっともらしく解説されたが、すべての事件は本当に教祖の一方的な命令によって起きたのか。

その重要部分を解き明かす場となるべき松本死刑囚の公判は、驚くべきことに事実上1審しか行われていない。戦後最大級の事件の、その首謀者と目された男の裁判だというのに、控訴審すら一度も開かれていないのである。

原因として弁護側の裁判引き延ばしが声高に難じられたが、「希代の極悪人は一刻も早く処断せよ」といった世の空気を裁判所が忖度した面の方が大きかったろう。

松本死刑囚は公判途中から奇異な言動を繰り返すようになった。これを裁判所や検察は詐病だと断じたが、本当に詐病だったのか。仮に心神喪失が事実なら、今般の死刑執行は、心神喪失状態にある者の執行停止を定めた刑事訴訟法に違背する。

それ以前の問題として、松本死刑囚の心身がどういう状態にあるかを真剣に見極め、真相解明や公判継続のために尽くすべき努力を刑事司法は尽くしたと言えるか。私は、とても尽くしたと言えないと思う。

もう一つ、7人もの一斉執行は戦後日本でも初めてであり、国際社会は今回の執行をどう捉えるか。先進民主主義国の大半が死刑制度を廃止する中、これほどの大量同時執行は国際的潮流に逆行する。

ましてや日本の死刑は密行性が際立つ。今回の7人はどういう基準で選ばれたのか。執行日はなぜ7月6日か。政局を睨んだ政治判断が背後に横たわっていないか。

国家の名の下に生命を奪い去る死刑は、まごうことなき究極の国家権力の行使だが、これほどの密行下に置かれていては手続きの適正性が担保されない。いずれの側面から眺めても、耐え難い苦みだけが残る執行劇である。

2018年07月22日

美しい風景

あるテーマを長期取材するため、福島の被災地通いを再開した。今週も福島に入り、原発被災者に話を訊き、放射性物質が振りまかれた地を歩いた。

ひと通り取材を終えた後、せっかくだからと思って山形との県境にまで足を延ばし、人里から隔絶された秘湯の一軒宿で一夜を過ごした。この原稿もいま、宿の一室で書いている。

雪深い冬季は閉鎖となる宿は、車の行き違いも困難なつづら折りの山道を10キロ以上走ってたどり着く。標高1300メートルに位置し、日中の気温は24度。夜間は20度を切ったのではないか。

下界では40度近い酷暑が続いているから、それだけで天国ではある。しかも奇岩がそそり立つ断崖絶壁の美景を眼前に眺め、渓谷に抱かれたぬる湯の露天に身を委ねると、思わず声が出る。微(かす)かに硫黄臭の漂う白濁湯に、下界の憂さをつかの間忘れる。

しかし、忘れてはいけない話を被災地ではいくつも聞いた。たとえば、かつて「日本で一番美しい村」に数えられていた飯舘(いいたて)村。原発事故から6年後の昨春、村の大部分で避難指示は解除されたが、村民の帰還率は1割程度にとどまり、話を訊いた村の人びとは消沈していた。

この夏に家をリフォームし、秋には帰還するという60代の女性は、「先祖代々受け継いできた土地を離れてしまうわけにはいかないから」と言った。

だが、以前の生活は望めない。田畑でコメと野菜を作り、震災前までコメと野菜を店で買ったことなどなかった。家の裏山にはワラビ、フキノトウ、タラノメ、コシアブラといった山菜もたわわに育ち、季節ごとに食卓を彩った。

もちろん、そうした山菜はいまも育つ。女性と一緒に裏山を歩けば、素人の私だってすぐに見つけられる。けれど、食べられない。子や孫に食べさせることもできない。「見た目は何も変わってないのにね」。女性の切なげな顔に胸が痛む。

村の振興公社に勤めながら兼業農家を営んでいた男性は、「村に戻るつもりはない」と言った。避難先だった町に新居を構え、今後もそこで暮らすつもりだという。「いくら除染しても、幼い孫を戻す気にはならない。俺たちだけ戻れば、家族がバラバラになってしまう」

だから戻らない。田畑も巨額の費用をかけて除染されたが、とても農業ができるような状態ではない。

「土を引っぺがして入れ替えたというけど、1センチの土を育てるのに1年かかるんだ。10センチの土を入れ替えれば、元の農地に戻すのは10年かかる。しかも除染後に入れたのは山砂で、石がごろごろ交ざってる。とても農業なんてできないさ」

絶景の白濁湯に身を委ねながら、飯舘の村民の悲痛な声を思い返す。美しい風景と、美しかった風景。そう書いてしまえばあまりに酷薄だが、失われた風景は容易に取り戻せない。酷暑の下界に戻るのが、一層物憂くなってくる。

2018年08月05日

これが選挙か

知事選の最中の沖縄をめぐり歩いてきた。このコラムが読者のみなさんに届くころには結果も判明しているだろう。ただ、いずれの側が勝ったにせよ、このような選挙が真っ当なのかという感慨を込め、現地で見た選挙戦の内実を記しておきたい。

ご存知のように今回の知事選は、2人の候補による事実上の一騎打ちだった。急逝した翁長雄志前知事の後継として出馬した玉城（たまき）デニー氏に対し、自民党や公明党の推薦を受けた佐喜眞（さきま）淳（あつし）氏。このうち玉城氏は、翁長県政を支えた「オール沖縄」勢力の支持を受け、前知事の遺志を継いで名護市辺野古への米軍基地建設を阻止すると訴えて県民の結束を呼びかけた。

一方の佐喜眞氏は基地建設の是非を語らず、代わって繰り広げたのはすさまじいまでの組織戦。背後にはもちろん政権と与党が控える。いや、背後に控えるどころか、両者は圧倒的な量と数の力を露骨に注ぎ込み、唖然（あぜん）とするほど強烈な組織戦が現地では展開された。

菅義偉官房長官が何度も沖縄入りし、業界団体などを直接締めあげた。自民党の竹下亘総務会長は沖縄に張りつき、他の同党幹部も続々と沖縄入りした。地元紙の報道などによれば、沖縄の衆院4選挙区のうち1区は総務会長自ら指揮し、他区は3人の与党副幹事長が担う異例の態勢を組んだ。

このほかにも数十人の議員秘書を沖縄に送り込む人海戦術を取り、街頭では〝人気者〟だという小泉進次郎筆頭副幹事長らがフル稼働した。もはや笑い話のような世界に近いが、ある市役所前で佐喜眞氏と小泉氏が演説した際は、前座でマイクを握った地元市長が聴衆にこう言い放って報道陣に失笑が広がった。

「みなさんのお目当てが進次郎先生なのは十分わかっております。間もなく到着しますので、もう少しお待ちくださ〜い！」

公明党の支持母体である創価学会の動きもすさまじく、学会幹部らが沖縄入りして組織を通じた集票に総力を傾注したらしい。沖縄に暮らす知人は「ほとんど面識ない人から1日に何度も電話がある。こんな選挙は初めて」とうんざり顔だった。

それが選挙というもの、と醒めた見方もできるだろう。だが、過重な基地負担に喘ぐ沖縄の民意をあらためて示したい陣営に対し、圧倒的な物量でその民意を翻させたい陣営の戦い。これを敢えて評せば、下からの民主主義を押さえ込む〝上からの民主主義〟とでもいうべきか。最終的には選挙で結果が示されるから民主主義は民主主義だが、こんなものは民主主義と呼べないと私は思う。

取材の最終日、翁長前知事の自宅を訪ねて樹子（みきこ）夫人に会った。前知事の遺骨を前に、夫人の怒りは深かった。

「選挙戦をご覧になったらおわかりでしょう。辺野古もそうですが、政府はあらゆる権力を駆使して沖縄を強引にねじ伏せようとしている。これはもはや暴力です」

遺骨の傍らには、穏やかな笑みを浮かべる前知事の遺影があった。自らの弔い選挙となった戦いでの政権と与党の振る舞いを、もともとは自らも中枢に座ったその与党の現在を、前知事は泉下でどう眺めただろうか。

２０１８年10月14日

2人の明暗

ジャマル・カショギ氏は無残に命を奪われた。安田純平氏は辛うじて解放された。それぞれが向き合った対象や事案の中身、来歴や活動もまったく異なるが、中東を舞台とした2人のジャーナリストの運命は、ほぼ同時期に暗と明にくっきり分かれた。カショギ氏には心からの哀悼を、安田氏には慰労と敬意の言葉を伝えたい。

それにしても、2人を取り巻く各国の為政者の振る舞いはどうだろう。

政権に不都合なジャーナリストを強権で殺害したサウジアラビアの独裁は、もとより最大の非難に値する。その蛮行を受け、事実の輪郭を浮かびあがらせた点でトルコの政権に一定の功はあれ、背後にはまったく別の本音も垣間見える。

豊富な石油資源と米国などの後ろ盾を武器に中東の盟主たらんとしてきたサウジに対し、イスラム世界の主導権を狙うトルコの政権にとって、今回の事件はサウジを牽制(けんせい)し、トルコの国際的位相を高める絶好の〝カード〟となった。そのトルコの政権自身、足元では報道や言論の自由など屁とも思わぬ強権を振り回してきた。

もともとが強圧的だったトルコの政権は、2016年にクーデター未遂事件が起きるとさらに強圧性を高め、政権に批判的なメディアを次々閉鎖に追い込んだ。国際的な人権団体によれば、現政権下のトルコは世界で最も多くのジャーナリストが投獄された国になった、とも指摘される。

そんな政権が、ジャーナリスト殺害という蛮行をテコに外交的主導権を握り、強権で掌握した自国メディアなどを通じて蛮行の証拠を次々発信している。まるでジャーナリズムの庇護者のようにすら見える現状は、皮肉といえばあまりに皮肉。

米国だって例外ではない。超大国に生まれた異形の大統領は、サウジの富と大量の武器購入に目がくらみ、正面からのサウジ批判をためらい、大統領自身が恥じもせずそれを公言している。自身に批判的なメディアを常日頃「フェイク・ニュース」と罵っている男だから、それもまあ当然と言えば当然なのかもしれない。

私たちが暮らす国はさらに無残だ。米国の顔色をうかがってか、石油の最大供給国におもねってか、ジャーナリスト殺害という蛮行に政府が警告を発した形跡はない。サウジの富に群がる経済人も沈黙を貫いている。

安田氏の解放をめぐっても、政権の本音が奈辺にあるか想像に難くない。解放に現場外交官らが努力したにせよ、拘束から3年の歳月を要したのには政権の消極姿勢があったのは疑いない。この政権自身、言論や報道の自由を蝕む施策ばかりを積み重ねてきた。政権に批判的なメディアを恫喝し、メディアの側も萎縮し、過半のメディアはすでに政権の提灯持ちと化している。

当たり前の話だが、為政者は常にメディアを煙たがり、機会あるごとに圧迫を加える。ジャーナリズムの守護者はジャーナリズムしかないという事実を、今回あらためて噛みしめてみる。

２０１８年11月11日

根本矛盾

ずいぶん前のことのように感じるが、現政権は「女性活躍」を政策の目玉に掲げていた。その後に取り下げたとは聞かないから、いまも変更はしていないのだろう。なのに現閣僚に女性は１人。真意を問われた首相は「２人分も３人分もある持ち前の存在感で女性活躍の旗を高く掲げてほしい」と強弁したが、当の女性閣僚に数々の疑惑や不祥事が噴出し、まさに「２人分も３人分も」の〝大活躍〟なのはご存知の通り。

世界的に見れば、日本の男女平等指数は先進民主主義国でも最低レベルである。いや、世界経済フォーラムのデータによれば、２０１７年の指数は調査対象とした１４４カ国のうち１１４位だから、世界最低レベルと評しても過言ではない。

ならば、その言葉遣いの是非はともかく、女性の「活躍」を推し進めるのは喫緊の課題。と同時に、少子化に歯止めをかける施策にも全政治力を傾ければ、いわゆる「生産年齢人口」が細って人手不足に陥るのは当然の道理。だというのに、まるでその穴埋め目的かのように「外国人労働者」の受け入れに舵を切ると政権は言う。

もとより時代の趨勢ではあるが、しかし現政権の振る舞いは問題の根本改善にほど遠く、対症療法的な弥縫策にすぎない。しかも「移民政策ではない」と繰り返し、家族の帯同などを許さないのは、外国人を使い捨て可能な「労働力」としか捉えていない証。そうした入管難民法改正案の問題点については本コラムで以前に記した。

ただ、こうした矛盾や詭弁の根底には、現政権が現政権であるがゆえの歪みが横たわっていて、おそらくは矛盾があらためられることは永遠にない。

なによりも現政権のコアな支持基盤である右派勢力——たとえば日本会議に集うような面々は、極めて復古的な「家族観」に囚われている。究極的にはこの国を〈宗家たる皇室〉を中心とする〈一大家族国家〉（いずれも『国体の本義』より）と捉える勢力は、男性である「家長」を中心とした「家制度」に異様な執着を抱いている。

だから同性婚はおろか性的少数者の権利拡大にも嫌悪を示し、選択的夫婦別姓制すら「家族を破壊する」といって頑強に反対する。首相自身もかつて「わが国がやるべきは別姓導入ではなく家族制度の立て直し」と訴えた。自民党の改憲草案に〈家族は、互いに助け合わなければならない〉と書き込んだのも、首相の取り巻きがＬＧＢＴに差別言辞を浴びせるのも同じ理屈。

そんな勢力に支えられた政権が真の意味での女性「活躍」など望むはずがない。畢竟（ひっきょう）、少子化に歯止めがかけられるわけもない。入管難民法改正も同じこと。古色蒼然（そうぜん）とした「国家観」や「家族観」ゆえ、「移民」に極度のアレルギーを持つ支持勢力に配慮し、「移民」と捉えられぬ辻褄合わせに必死。結果、受け入れ外国人の基本的人権すら無視した議論が横行する。すべては現政権の根本的姿勢に端を発する矛盾だが、ばらまかれる害悪は大きい。

2018年12月02日

命の重み

ひとたび他人事（ひとごと）になると、人間はこうも酷薄になれるのか。自殺、溺死、凍死、若年での心疾患や脳疾患、そんな不可解かつ理不尽な理由で過去3年、計69人もの外国人技能実習生の命が失われたことをどう捉えるか、国会の場で問われたこの国の首相は、いかにもうんざりした表情で、時に薄笑いすら浮かべながら、平然とこう言い放った。

「いま初めて聞いたので答えようがない」

いや、まさにそこが審議の肝だというのに、いったいどういう心性をしていれば、これほど他人事のように振る舞えるのか。

先の国会で最大焦点となったのが入管難民法の改正審議、いわゆる外国人労働者の受け入れ拡大の是非だったのは周知のとおりである。この国の社会構造を変えうる入管政策の大転換にもかかわらず、審議は衆参合わせてわずか30時間余、しかも具体的中身は片っ端から「省令」に委ね、政府提出法案をチェックするという立法府の最低限の任務すら打ち捨てられた。

そんな無残な国会審議の終盤、それでも野党の努力などにより、いくつかの新事実が浮かびあがった。昨年だけで実に約7000人が〝失踪〟し、今年はそのペースがさらに加速している技能実習生の労働実態はその一つだった。

法務省はごまかしを図ったが、〝失踪〟者のうち法務省が聴取した者の大半が法定の最低賃金以下で働かされ、「過労死」レベルを超える長時間労働に従事させられていた者も多かった。また、冒頭に記したような信じがたい死亡事案も数々判明した。

政府も認めているように、新たに創設される在留資格は、その相当部分が技能実習生からの移行になるとみられている。ならば、現在の労働実態や問題点を洗い出し、再発防止の対策を講じるのは必須不可欠の作業であろう。なのに「初めて聞いた」と言い放ち、「人手不足の解消」の方が重要だと言わんばかりに審議は強引に幕が引かれた。

これはもはや外国人労働者の受け入れ拡大ではなく、現代における「徴用工」制度の創設と捉えるべきではないか。この国の都合に合わせ、外国人を単なる「労働力」として招き入れ、最低限の人権や労働環境すら保障しないというのだから。

ふと思い出す。現首相は北朝鮮による日本人拉致問題での強硬姿勢を跳躍台とし、政界の階段を一気に駆けのぼった。口癖のように語っていたのが「最後の1人まで救出する」といった類いの勇ましい台詞だった。

そのことにもとより異議はない。外交交渉だからどこまで貫徹できるかは不透明だが、人の命はそれほどに重い。だから被害者や家族も首相に心を寄せた。ところがいま、一転して69人の理不尽な死に興味を示さない。重要な法改正の焦点だというのに、まるで他人事のように興味を示そうともしない。この首相にとって人の命は徹底してこだわる重要事なのか、あるいは政治的打算の道具なのか。私には、どうやら後者であるように思われてならない。

２０１８年12月30日

自衛隊の危険な異変

首相、防衛相も知らない「秘密諜報部隊」の実態

かつてのようにきな臭い気配はあるか

今も昔も変わらぬメディアの悪弊だが、絶え間なく発生するニュースに上書きされ、以前のニュースはついつい忘却の箱に仕舞いこんでしまう。そうして時が経過し、社会に深刻な歪み(ひず)が生じた後、あれは重大な予兆だったと気づき、慌てて箱をまさぐってあれこれ分析を加える――そんなことが歴史上、しばしば繰り返されてきた。

では、この春に大きな政治問題と化した出来事はどうだろうか。

2018年4月16日の夜、人影もまばらな国会近くの路上で、民進党（当時）の参院議員が見知らぬ男から罵声を浴びた。男は自衛隊の統合幕僚監部に所属する30代の3等空佐。自らを自衛官だと名乗った上で、議員にこんな暴言を吐きかけた。

「気持ち悪い」「バカ」「国のために働け」「国益を損なう」議員は「国民の敵」とも罵られたと語り、この台詞は3佐が否定しているものの、それは枝葉末節の話にすぎない。自衛官が国会議員に公然と暴言を浴びせかけた、そのこと自体に問題の本質はあり、戦前・戦中の軍事主導体制を想起させると批判が渦巻いた。

確かに類似の史実はある。たとえば1933年、赤信号を無視した1等兵が「軍は警察に従わない」と強弁し、軍と警察の争いに発展した「ゴーストップ事件」。あるいは38年、陸軍中佐が帝国議会の委員会で、議員に「黙れ」と言い放った事件。いずれも当時の軍部が猛烈に傲慢化したことを示すエピソードとして語られる。

昭和史に精通し、本誌でもおなじみのノンフィクション作家・保阪正康氏も、『毎日新聞』の記事（5月16日付夕刊）でこれらを「軍が横暴になっていく予兆」だったと指摘し、「一見くだらない問題が雪だるま式に転がって時代の空気を作り、取り返しのつかない事態に発展していく怖さ」に警鐘を鳴らしている。

私も同感だが、今回はどうか。かつての軍部と単純には比べられないにせよ、自衛隊は戦後日本のまごうかたなき実力組織である。現政権の下では安保関連法などによって権限が大幅に拡大し、防衛費も増え続けている。その防衛省・自衛隊に異変が起きているのか。かつてのようにきな臭い気配は漂っているのか。

〝制服組〟が完全に主導権を握った

残念ながら防衛省・自衛隊の内側を深く取材した経験のない私には、にわかに断ずることができない。はて、どうしたものかと考えた時、思い浮かんだのが石井暁（ぎょう）氏（56）だった。石井氏は、私もかつて所属した共同通信社の編集委員である。防衛問題を専門とし、ほぼ一貫して防衛省・自衛隊の取材を続けてきた。私が警察（サツ）回り記者時代からのことだから、取材歴はもう四半世紀近くになる。

これは防衛問題に限った話ではないが、特定の分野を専門に取材する記者は、取材対象と懇（ねんご）ろになりがちである。首相としばしば会食し、まるで提灯持ちかのような言説を吐く政治記者などはその典型例であろう。

だが、石井氏は違う。常にリベラルな視線で取材対象を眺め、時には防衛省・自衛隊が最も書かれたくないだろう暗部を抉（えぐ）る特ダネを放ってきた。その暗部については追って触れることとし、久しぶりに石井氏と会って話を聞き、防衛省・自衛隊は変わりましたか――そう尋ねると、石井氏は迷いなく即答した。

「制服組と背広組の力関係は完全に逆転しましたね」

あらためて詳述するまでもなく、防衛省・自衛隊では、防衛事務次官をトップとする防衛官僚を「背広組」、統合幕僚長をトップとする陸海空の自衛官を「制服組」と称する。

続けて石井氏の話。

「民主主義国家では、実力部隊の軍を政治が統制する『文民統制』は最も大切な基本原則です。自衛隊の場合、これに加えて『文官統制』制度があった。天皇の統帥権を盾に戦前・戦中の軍が暴走した反省に立ち、文官の背広組が制服組を統制する仕組みも整えられたんです。ところが主に制服組の要求を受け、これが完全になくなってしまいました」

石井氏によれば、「文官統制」を担保する仕組みは大きく三つあったが、この十数年ほどで次々と取り払われてきた。

まずは１９９７年。国会や官邸との連絡交渉は背広組が担い、制服組は関わらないという古くからの訓令が廃止された。続いて２００９年。いわゆる「防衛参事官制度」も撤廃される。背広組幹部が「防衛参事官」として防衛庁長官（当時）を補佐する制度は、背広組優位の象徴でもあったが、防衛事務次官の汚職事件などを受け、制度そのものが姿を消してしまった。

そして現政権下の15年。改正防衛省設置法が成立し、背広組の優位を法的に担保していた同法12条が改められた。これによって背広組と制服組が「対等な立場」で防衛相を補佐することとなり、戦後日本の実力組織を制御してきた「文官統制」は葬り去られたのである。

再び石井氏。

「対等な立場とは言っていますが、現在は制服組の方が主導権を握っている印象です。特に部隊を動かす作戦や運用面では、制服組が完全に主導権を握りました」

――しかも防衛相と直接やり取りしながら？

「ええ。官邸もそうです。基本的に制服組トップの統合幕僚長が週1回、同じく制服組の情報本部長が月1回、総理の執務室に入って直にやり合っています。ただ、情報本部長が会う際は内閣情報官が、統合幕僚長が会う際は背広組の防衛政策局長が必ず同席する。これは旧内務官僚の考えた仕掛けで、総理と制服組を一対一では会わせない仕組みを最後の防衛線として作ったんです」

――旧内務官僚というと、警察庁ですか。

「そう。内閣情報官らが作った仕掛けです」

――それは政治と制服組の直結を防ぐ〝防衛線〟である一方、警察の〝縄張り意識〟という側面も強いのではありませんか。

「それも間違いなくあるでしょう」

存在感を増す〝制服組〟と公安警察

これについては若干の解説が必要だろう。

戦前・戦中の反省から再出発した戦後日本は、強大な情報機関などを持たず、専守防衛の自衛隊も「軍」ではないという建前を一応は貫いてきた。そうした中、治安維持や情報機関的な役割の柱を旧内務省の一角だった警察が——もっと正確に記せば、警備公安部門の警察官僚が主導的に担い、大きな存在感を誇ってきた。

例えば内閣直属の情報機関と位置づけられる内閣情報調査室（内調）のトップは、かつて内調室長、現在は内閣情報官と呼ばれるが、発足から一度の例外もなく警備公安部門の警察官僚出身者がその地位を独占してきた。内閣危機管理監なども同様であり、現政権では官僚トップの座にあたる事務担当の内閣官房副長官までを警察官僚ＯＢが握っている。

その影響力は防衛省・自衛隊にも及び、かつて陸幕調査部別室（調別）などと呼ばれた自衛隊の電波傍受組織——現在は再編されて防衛省情報本部の電波部と呼ばれる組織のトップも警察官僚の指定席である。

石井氏が言う。

「日本の情報組織のなかでも有力な情報収集能力を持つ自衛隊の電波情報は、警察官僚が一貫して握って絶対に手放さないんです。（防衛省・自衛隊が）返してくれと言っているんですが、手放さない」

——その警察にすれば、制服組が存在感を増し、官邸で大きな顔をするのは好まないでしょう。

「ええ。それに公安警察は、そもそも自衛隊など危険だという発想ですから」

——それでも制服と政治の距離が近づいたのは間違いない。どう捉えますか。

「僕はやはり反対です。かつて防衛事務次官を務め、2年前に亡くなった夏目晴雄という防衛官僚が力説していました。軍事組織は常に暴走する傾向があるから、歯止めをきちんとかけねばならず、制服をむやみに政治に近づけちゃいけないと。僕もその通りだと思います」

だが、文官統制という戦後日本の矜持（きょうじ）は切り崩された。それは制服組の要請もあったが、一方で政治の側が後押しした面も大きかった。しかも、昨今の防衛相の顔ぶれと振る舞いを眺めれば、政治が実力組織を適切にグリップし、文民統制を利かせているようにはとても思えない。石井氏もこう嘆く。

「直近の防衛相だと、稲田朋美氏などは制服組からも軽く見られていました。南スーダンのＰＫＯ日報隠蔽問題で表面化したように、文民統制が利いていたのかも疑わしい。その前任の中谷元氏は防大出身の元レンジャー隊員で、制服組の代弁者みたいな人でした」

――軍事通の石破茂氏などは？

「石破氏は軍事オタクで、制服の主張に従ってきた政治家でしょう。防衛参事官制度を廃止した際も制服組の主張を後押ししていました。僕が記憶する限り、文民統制にはっきりとこだわりがあったのは民主党政権の防衛相だった北澤俊美氏ぐらいです。彼は就任時の訓示で、自分は戦中派だから文民統制には徹底的にこだわりたいと背広・制服組を前にしてはっきりと言いました。彼以外、近年の防衛相で文民統制にこだわりを示した人は記憶にない」

制服組と政治の距離が狭まり、しかも政治の側に文民統制という大原則へのこだわりすら薄れる中、現政権は戦後の憲法解釈を一方的に覆し、集団的自衛権の行使容認に道を開く安保関連法を成立させた。防衛費の増大も続き、そうした現状が現場自衛官に影響を与え、制服組は増長をはじめているのか。国会前の路上で参院議員に浴びせられた現役自衛官の罵声は、その重大な兆候と捉えるべきなのか。石井氏の見方はこうだ。

自衛隊の最深部で何が起きているか

「3佐の一件は僕も衝撃を受けたし、確かに戦前の帝国議会で起きた陸軍中佐の『黙れ』発言や『ゴーストップ事件』を想起しました。これが将来、自衛隊増長の兆候だったと思い返す日がきてほしくはないと思いますが、当該の3佐が何らかの政治活動に関わっていたとか、思想的に右だったというような情報は今のところはないようです」

——とすれば、まさに昨今のネトウヨ的な風潮を想起させます。大した思想信条もないのに、政権や自衛隊を批判する者に怨嗟（えんさ）の目を向け、攻撃する。そういう自衛官は増えていますか。

「そんなに増えているという印象はないんですが、一定程度はいるんでしょう」

——しかし、最近は田母神俊雄氏のような人物が空自トップにまでのぼり詰めてしまっている。

「ええ。ああいう人を組織のなかで自然淘汰できず、航空幕僚長に押し上げてしまったのは重大問題です。しかも田母神氏は、かつての侵略戦争を肯定するかのような論文が問題になった際、事務次官らに辞職を求められても拒否するという振る舞いに出た。組織のトップの命に従わないのだから、一種のクーデターだと防衛省内でも大問題になりました」

――そうしたムードが一線の自衛官にもなんらかの影響を与えていると。

「日本社会自体の風潮が徐々に右へ右へとずれ、特に現政権下ではそれが顕著なので、同じ社会の実力組織である自衛隊も無縁ではない。社会や政権のありように引きずられている面があるのは間違いないでしょう」

そうなのだろうな、と私も深く頷(うなず)いた。しかも、戦後日本の実力組織である自衛隊は、組織の最深部で文民統制など無視するがごとき逸脱活動も行ってきた。

その片鱗(へんりん)を暴く特ダネを幾本も放ってきた石井氏の話をもとに、実力部隊のさらなる最深部を覗きこんでみたい。

「専守防衛」の建前を無視する逸脱活動

自らの紙面を持たず、主に地方紙に記事が掲載される通信社という特性上、大きな政治問題にならなかったきらいはあるが、本来ならば侃々諤々(かんかんがくがく)たる政治問題にするべきだった特ダネは2013年11月28日、次のような4本見出しをつけて配信された。

◎陸自、独断で海外諜報
首相に活動知らせず
冷戦期から中ロに拠点
文民統制を逸脱

記事の冒頭部分も一部を略しつつ引用してみる。

〈陸上自衛隊の秘密情報部隊「陸上幕僚監部運用支援・情報部別班」(別班)が、冷戦時代から首相や防衛相(防衛庁長官)に知らせず、独断でロシア、中国、韓国、東欧などに拠点を設け、身分を偽装した自衛官に情報活動をさせてきたことが分かった。陸上幕僚長経験者、防衛省情報本部長経験者ら複数の関係者が共同通信の取材に証言した。自衛隊最高指揮官の首相や防衛相の指揮、監督を受けず、国会のチェックもなく武力組織である自衛隊が海外で活動するのは、文民統制(シビリアン・コントロール)を逸脱する。

陸幕長経験者の一人は別班の存在を認めた上で、海外での情報活動について「万が一の事態が発生した時、責任を問われないように(詳しく)聞かなかった」と説明。情報本部長経験者は「首相、防衛相は別班の存在さえ知らない」と述べた……〉

首相や防衛相にも一切知らせず、陸自の極秘部隊が海外で諜報活動をしているなら、これは文民統制に真っ向から違背する。いや、陸自という実力組織の独断専行的な暴走と評すべきだろう。再び石井氏に聞く。

――海外での情報収集とは具体的に何を？

「詳細は闇に包まれていますが、主に旧ソ連・ロシアや中国、北朝鮮に関する情報収集を目的とし、国や都市を変えながら常時3カ所程度の拠点を維持しているようです。最近はロシア、韓国、ポーランドなどで活動していると聞きました」

――活動中の身分は？

「別班員を海外に派遣する際には自衛官の籍を抹消し、他省庁の職員に身分を変えることもあるそうです。活動が万一発覚した場合に備え、陸上幕僚長にも展開先や具体的な活動内容をあえて知らせず、自衛官の身分を離れて民間人などを装った佐官級の幹部が現地で指揮していると」

――それを首相も防衛相も把握していない。

「僕はかなりの数の防衛相、防衛庁長官の経験者に直接取材しましたが、はっきり把握している人は誰もいませんでした」

――では別班が集めた情報はどう使われるんですか。

「出所を明示せずに陸幕長や防衛省の情報本部長に上がっているようです」

――そもそも別班にはどういう自衛官が？

「陸自の小平駐屯地（東京都小平市）にある小平学校で『心理戦防護課程』という極めて特殊な

教育を受けた隊員です。小平学校は旧日本陸軍の諜報学校だった中野学校の伝統を色濃く引き継いでいますが、別班の原型は１９６０年前後に米軍が施したトレーニングだったようです」

――米軍のトレーニング？

「ええ。キャンプ座間に駐留していた米陸軍の軍事情報旅団が陸自隊員にトレーニングを施し、61年に『陸幕第2部特別勤務班』として極秘裏に創設された組織が別班の源流だと。当初は米軍と連携して情報収集活動などにあたり、内部で『ＭＩＳＴ』とか『ムサシ』と呼ばれた時期もあったようです」

――現在の別班の人数は？

「正確には分かりませんが、おそらく数十人規模でしょう」

長期にわたる石井氏の取材によれば、別班の本部は東京・市ケ谷にそびえる防衛省本部庁舎群の地下に置かれているが、民間ビルの一室を借りた〝アジト〟も都内に複数あり、班員は組織を秘匿するため新宿、渋谷、池袋などの拠点を転々とするという。

また、小平学校で潜入や追跡といった特殊教育を受けて別班に入った隊員は、国内でも自衛官の身分を離れて偽装し、数人ずつのグループに分かれて活動するらしい。だから他のグループのメンバーとは本部でまれに接触するだけで、互いに本名すら知らない。ただし自衛官の給料は毎月支払われ、領収書のいらないカネを相当自由に使うことも可能で、海外での諜報活動に加え、在日コリアンを買収して北朝鮮に送り込むといった工作に手を染めたことさえあったという。

金大中拉致事件の際に片鱗が

これほど隠匿され、非合法ともいえる活動に従事させられるのだから当然といえば当然だが、精神に異変をきたす班員も珍しくなく、「非合法なことはできない」と言って辞める班員もいたと石井氏は明かす。

「仮にヒューミント（人による諜報、情報収集）部隊が必要だとしても、首相にも防衛相にも知らせないのは文民統制の面で大問題ですし、そうした非公然部隊が海外で活動をするのはあまりに危険です。特に現場隊員はたまったものではない。もし活動が発覚して捕まっても、闇から闇に葬るしかないんですから」

私もまったく同感だが、闇の奥底に隠されてきた陸自の秘密諜報部隊＝別班の存在は、過去に一度だけ、その片鱗にかすかな光があてられたことがあった。73年に起きた金大中（キム・デジュン）拉致事件である。

後に第15代の韓国大統領となる金大中は当時、野党指導者として東京に滞在していたが、同年8月8日の白昼、都心のホテルから忽然（こつぜん）と姿を消した。民主化運動の闘士として軍事政権に対峙していた金大中は朴正熙（パク・チョンヒ）大統領の政敵であり、韓国の情報機関ＫＣＩＡ（韓国中央情報部）

による組織的な拉致だったことが間もなく明らかとなる。

当初は殺害後に海中投棄する計画だったとも言われるが、紆余曲折あって金大中は5日後の8月13日、ソウルの自宅前で無事解放された。だが、事件は韓国の情報機関による明白な主権侵害であり、国交正常化から間もない日韓両国の一大外交問題に発展、最終的には両政府で政治決着が図られた。

一方で事件をめぐっては、「ミリオン資料サービス」なる奇妙な興信所の存在が耳目を集めた。東京・飯田橋のビル内に事務所をおき、所長に就いていたのは当時38歳の「元」自衛官。実はもともと別班に所属し、何らかの形で金大中拉致に関与し、拉致を支援した疑惑が浮上したのである。石井氏の話を続ける。

「金大中事件の少し前、別班にいた3佐が辞職して興信所を作り、金大中の尾行や張り込みをやっていた。おそらくはＫＣＩＡの依頼などを受けたんでしょう。これは当時の国会などでも問題化し、政治家もメディアも初めて別班の存在に気づいたんです」

――しかし自衛隊はその存在を断じて認めなかった。

「ええ。共産党などは熱心に追及しましたが、政府も当時の防衛庁も完全否定し、別班なるものは一切存在しないと言い張ってきた。それはいまも変わりません。今回の僕たちの報道後も同様の答弁書が閣議決定されています」

確かに政府は共同通信の報道直後の２０１３年12月10日、別班の諜報活動について問う野党議員の質問主意書に対し、次のような答弁書を閣議決定している。

〈これまで自衛隊に存在したことはなく、現在も存在していない〉

だが、石井氏の取材に幾人もの陸幕長経験者らが別班の存在を認め、一部とはいえ非公然の活動内容を明かした。だから石井氏も、報道にあたっては防衛省・自衛隊に可能な限りの配慮を尽くしたという。

「こういう原稿を出しますよ、と8日前に防衛事務次官や陸幕長に通告しました。共同が記事を配信すれば、海外でも報じられる。それによって海外で活動中の別班員が逮捕されたり拘束されたりしても、僕たちは責任を取れない。だから海外で活動中の別班員は避難させてほしいと通告したんです。これは防衛省や自衛隊の関係者から非常に感謝されました」

つまり、明らかに存在する別班という諜報組織の存在を、防衛省・自衛隊は公式には認めず、首相や防衛相も把握できていない。そのこと自体、実力組織の文民統制という面で大問題だが、実をいうと問題はこの程度にとどまらない。公式には「存在しない」はずの陸自の秘密諜報部隊＝別班の機能を拡充するかのような計画が水面下で進められているからである。

陸自「別班」と特殊部隊を一体運用

石井氏は、それを明るみに出す特ダネも放った。別班の海外活動を暴いたのに続き、13年の大晦日に配信された記事の冒頭部分も一部引用する。

〈文民統制を逸脱した海外での情報活動が明らかになった陸上自衛隊の秘密情報部隊「別班」を、特殊部隊「特殊作戦群（特戦群）」と一体運用する構想が２００８年ごろから陸自内部で検討されていることが分かった。複数の陸幕長経験者らが共同通信の取材に認めた。想定する任務には、海外での人質救出、敵地への潜入と攻撃目標の偵察なども含まれている。武器使用基準の緩和、憲法解釈で禁じられている「海外での武力行使」に踏み込むもので、改憲を見越した構想とみられる。

特戦群幹部経験者は「敵基地攻撃では特戦群が目標指示のために潜入する必要がある。強力なインテリジェンス（情報活動）組織が必要だ」と証言した……（以下略）〉

再び石井氏に聞く。

――特戦群という自衛隊の特殊部隊も秘匿性が高いのですか。

「ええ。群長以外は氏名なども非公表で、部隊の編成や装備、訓練内容、運用実態などは一切明かされていません。メディアが報道する式典などでは隊員が目出し帽で顔を隠すほどです」

――その特戦群と別班を一体運用する構想があると。

「そうです。文民統制を逸脱してきた別班という部隊を使い、憲法が禁じる海外での武力行使に踏み込む任務を想定していますから、二重の意味で制服組の暴走でしょう」

――具体的にはどのような任務を想定しているんですか。

「陸幕長経験者らに聞くと、米海軍の特殊部隊を目標としているようです。つまり、海外での人質救出などのほか、敵基地の攻撃にあたって地上から潜入して目標を確認する任務なども想定している。その際、特戦群に欠けている情報活動を別班で補おうと。

ただ、こうした任務は海外での武力行使に踏み込まずには成り立たない。集団的自衛権の行使容認だけでなく、敵基地攻撃能力の保持や自衛隊の国防軍化、改憲まで見込んだ動きですから、構想であってもあまりに行き過ぎです」

政権や社会に蔓延するネトウヨ的な風潮の下、変質が懸念される防衛省・自衛隊では、想像を超える逸脱活動がすでに繰り広げられていた。それはここまで触れてきた陸自の諜報組織＝別班に限らない。

続けて石井氏に話を訊く。

「防衛省の情報機関である情報本部には、ヒューミントや衛星情報なども集まりますが、最大の武器はなんといっても電波情報です。特にロシア、中国、北朝鮮をターゲットにした電波傍受の基地を一番持っているのは自衛隊ですから、米国もその情報を欲しがるほどの力を持っています」

一部前述した防衛省情報本部の「電波部」。それが石井氏の言う自衛隊の諜報活動における「最大の武器」である。

秘密のヴェールに隠される組織

電波部の源流をたどると、1950年代にまでさかのぼる。発足間もない自衛隊の陸上幕僚監部に創設された「調査第2部別室」。これもまた、もともとは米軍の指示と支援を受けて産声をあげたらしいのだが、時に「別室」とか「二別」、あるいは「調別」などと称された部隊は、自衛隊内で電波傍受を専門とする秘匿性の高い諜報組織だった。

陸幕の「別班」とも似た名称だが、両者はまったく異なる。「わざと紛らわしいネーミングにしたと明かす自衛隊元幹部もいる」と石井氏は言う。

それはともかく、電波傍受組織として出帆した「別室」あるいは「二別」「調別」は、米ソ両陣営が対峙する冷戦期、組織と機能を密やかに拡大しつづけた。70年代になると所属自衛官も1000人を超え、その大半は全国各地の傍受施設に配属された。北から順に、北海道の稚内、東千歳、根室、新潟県の小舟渡、埼玉県の大井、鳥取県の美保、福岡県の大刀洗、鹿児島県の喜界島……。

いずれの施設も旧ソ連、中国、北朝鮮の軍事電波が傍受しやすい地点を選んで建設された。施設のありかを地図に落とし込むと、所在地は北海道の最北から鹿児島県南端の離島にまで及び、まるで日本列島全体が巨大アンテナと化したかのような印象すら受ける。

その電波傍受能力や具体的な活動内容は秘密のヴェールに隠されているが、過去に幾度か断片が漏れ出てきたこともある。代表例が１９８３年の大韓航空機撃墜事件であろう。

事件はこの年の9月1日、日本時間の未明に発生した。米ニューヨークからアンカレジを経由し、韓国ソウルに向かっていた大韓航空００７便。機体がなぜか予定航路を外れてソ連領空に侵入したところ、サハリン沖上空でソ連の戦闘機に撃墜され、28人の日本人を含む乗員乗客２６９人が死亡した。

事件の真相はいまなお不明な部分が残る。ただ、ソ連軍機による撃墜の事実を当時、世界に先がけて摑んだのが自衛隊の電波傍受組織「別室」あるいは「調別」だった。理由は記すまでもない。ソ連軍機の無線交信などを電波傍受でキャッチしたのである。

これは自衛隊が密やかに育ててきた電波傍受部隊の力を世界に知らしめたが、一方で、いかにも自衛隊らしい逸話も残している。傍受した無線交信内容が日本政府より先に米政府へと伝えられ、日本側は米側から「対ソ非難のために公開していいか」と打診されて初めて事実関係を把握したというのである。

当時の中曽根康弘政権で官房長官を務めていた後藤田正晴氏は生前、新聞のインタビューに心中を率直に吐露している。

「本当に腹が立った。これでは米国の隷下部隊。『こんな自衛隊ならいらん』と言ったんだ」

（２００4年9月21日付『朝日新聞』朝刊）

後藤田の怒りはもっともであり、現在にも通じる米軍と自衛隊の一体化——というよりも、まさに「隷下」化を物語る。

さて、そうして防衛庁（当時）・自衛隊内で「最大の武器」と位置づけられた電波傍受組織は、その後も維持・拡大され、1997年に大きな転機を迎えた。この年、陸海空の自衛隊などに分散していた情報組織を統合し、防衛庁に情報本部が創設されたことを受け、その一部門として組み込まれることとなったのである。

それがすなわち現在の電波部である。この秘匿性高き電波傍受組織の近年の活動について、にわかには聞き捨てならないことを石井氏が明かした。

「エックスキースコア」運用の〝闇〟

「米NSA（国家安全保障局）の大規模な通信傍受活動が暴露された際、『エックスキースコア（XKeyscore）』という傍受システムが問題になりましたね」

——ええ。米CIA（中央情報局）の職員だったエドワード・スノーデン氏が告発したNSAの通信傍受プログラムですね。

「そう。それを電波部が持っている」

——電波部が？　防衛省・自衛隊は認めているんですか。

「もちろん表向きは認めていない。ただ、防衛省の幹部も裏では認めています」

——しかも使っていると？

「当然使っている」

事実とすれば極めて重大な話だが、これについては若干の補足説明が必要だろう。

ＣＩＡ職員だったスノーデン氏がＮＳＡの活動実態を英紙などで告発したのは２０１３年。膨大な内部文書をもとにした告発は、米国ばかりか世界各国に衝撃を与えた。世界中のありとあらゆる通信を対象とし、ＮＳＡが貪欲かつ大規模に監視・盗聴活動を繰り広げていた実態が浮き彫りになったからである。

その全貌はここではとても記しきれないが、ごく一部を列挙すれば、例えばプリズム（ＰＲＩＳＭ）と称されるシステムを使って米国内で行っていた網羅的な通信情報収集がある。また、日本などを含む各国の大使館、代表部、果てはドイツ首相らの携帯電話までをも対象とした盗聴も実施し、果てはマイクロソフトやグーグルなどの協力も取りつけ、インターネット上での通信監視・傍受は世界規模で実施されていた。

そうしたＮＳＡの通信傍受活動のうち、ネット上で個人情報を極秘収集するためのコンピューターシステムがエックスキースコアだった。ＮＳＡがネット上でかき集めて蓄積した膨大なデータにアクセスするシステムとみられ、狙い定めた人物のメールやチャット、ウェブサイトの検索履歴といった個人情報を根こそぎ収集することが可能だという。

このシステムについてはスノーデン氏も次のように明かしている。事実上の亡命先となったモスクワで17年6月、共同通信の取材に応じた際の証言である。

「私も使っていました。あらゆる人物の私生活の完璧な記録を作ることができる。通話でもメールでもクレジットカード情報でも、監視対象の過去の記録まで引き出すことができる『タイムマシン』のようなものだ」

その上で、こんなことも。

「エックスキースコアをNSAと日本は共有した。（供与を示す）機密文書は本物だ。米政府も本物と認めている。日本政府だけが認めないのは、ばかげている」

そう、エックスキースコアを日本側に供与したことを示す内部文書も、スノーデン氏の告発によって明るみにだされていた。だが、日本政府は当時、菅義偉官房長官が会見で「出所不明の文書に政府としてコメントすべきではない」などと述べただけ。システムの存在自体はNSAもすでに認めているから、スノーデン氏が言うように、これはあまりに「ばかげている」と私も思うが、日本国内で問題視する声もさほど盛りあがらなかった。

再び石井氏の話。

「電波部がエックスキースコアをどう運用しているか、詳細はもちろんわかりませんが、その気になれば、誰もが個人情報を根こそぎ丸裸にされてしまうでしょう」

――ぞっとする話ですが、日本の現行法の下では明白な違法行為ですね。通信の秘密を侵してはならないと定めた憲法にも違反する。

「その通りです。ただ、この件について僕は防衛省の幹部に尋ねたことがある。幹部は多くを語りませんでしたが、こうは教えてくれました。『国内法スレスレでやっている』と。『さすがに違法なことはできないから、スレスレのところで運用している』と……」

「文民統制」は機能しているのか？

エックスキースコアの提供は受けたものの、違法だと誹(そし)られないスレスレのところで運用している——。その言葉の真意は不明であり、勝手に推し量るしかないが、例えば次のような理屈は成り立つかもしれないと石井氏は言う。つまり、通信傍受活動を行っているのはあくまでも米ＮＳＡであり、そのデータにアクセスするだけの作業は日本の憲法が禁ずる通信の秘密を侵す行為には当たらない——と。

しかし、これも石井氏が指摘した通り、エックスキースコアを縦横に駆使すれば、ありとあらゆる個人の情報はおよそ「丸裸」にされる。

しかもその威力は携帯電話の盗聴などといったレベルにとどまらない。本来なら、一大政治問題として侃々諤々たる議論の対象とすべきだろう。

もう一点、電波部という組織の特性について触れておく必要がある。前述したように電波部は現在、防衛省情報本部の一部門となっているが、そのトップである電波部長の座には、「二別」「調別」と称された時代も含め、一貫して警備公安部門出身の警察官僚が就いてきた。すなわち電波部は、防衛省の情報機関であるという顔とは別に、国内の治安維持を担う警備公安警察の別動隊という一面も持つ。

ならば、エックスキースコアも軍事関連情報の収集にとどまらず、国内の治安対策としても運用されているのではないかという疑いが浮かぶ。電波部がNSAから提供を受け、実際に運用しているなら、これは決して「妄想」ではなく「合理的かつ蓋然性の高い推測」というべきだろう。

となると問題の深刻さは一層深まる。なのに現政権は、そうした警察組織に特定秘密保護法や共謀罪といった強力無比な武器を、ろくな歯止めもかけずに投げ与えつづけてきた。また、背後で文民統制など無視した逸脱活動を繰り広げてきた防衛省・自衛隊は現政権下、安保法制によって集団的自衛権の行使に道を開き、防衛費は膨張をつづけ、存在感も権限もかつてないほど拡大した。しかも、政権や社会の〝右傾化〟と無縁ではないであろう自衛隊内にも、怪しい〝右傾化〟の気配が強まっている。

あらためて論じるまでもないことだが、治安組織や実力組織といったものは、政治や社会が適切にコントロールしなければ、機密のヴェールの陰で往々にして肥大化し、制御を失い、時に暴走しかねない。これは洋の東西、社会体制の左右を問わぬ歴史の教訓であり、だからこそ実力組織の文民統制などが近代民主主義の大原則として確立されてきた。

ひるがえって、この国の現在はどうか。防衛省・自衛隊や警察の権限をひたすら拡大させる一方、それを適切にコントロールする原則へのこだわりが皆無に見える政権。その無邪気さこそが最大の脅威であり、危機ではないかと私は強く懼(おそ)れる。

２０１８年08月12日

いしい・ぎょう——１９６１年生まれ。共同通信編集局編集委員。94年から防衛庁（現防衛省）を担当。安全保障問題を中心に、自衛隊のルワンダ難民救援活動、北朝鮮不審船事件、イージス艦情報流出事件、元防衛事務次官汚職事件、尖閣諸島領有権問題などを深くえぐってきた。

国体の本義

仕事上の必要があって最近、『国体の本義』を読み返した。そして最近の政権が目指す「国のかたち」は、『国体の本義』と極めて相似形であることをあらためて痛感させられた。

ご存知のとおり、『国体の本義』は日中戦争がはじまった1937年、国民教化用の小冊子として文部省が編纂・発行した。この2年前にはいわゆる天皇機関説事件が起こり、それまでごく常識的な学説とされた天皇機関説が右翼・軍部に排撃され、日本国内は国体明徴運動に席巻された。

これを受けて政府も「国体」なるものの定義づけに乗り出し、37年3月末に『国体の本義』は刊行された。いわば戦前・戦中のファッショ体制を支えた思想の〝正統的解釈書〟であり、これによってファッショ体制は思想面で完成されたともいえる。

その『国体の本義』は、「国体」なるものを冒頭でこう〝解説〟している。

〈大日本帝国は、万世一系の天皇皇祖の神勅を奉じて永遠にこれを統治し給ふ。これ、我が万

古不易の国体である〉〈この国体は、我が国永遠不変の大本であり、国史を貫いて炳（へい）として輝いてゐる〉

一方で当時の政治・社会の〝問題点〟を次のように嘆いてもいる。

〈抑々（そもそも）我が国に輸入せられた西洋思想は、主として十八世紀以来の啓蒙思想であり、或はその延長としての思想である〉〈これらの思想の根底をなす世界観・人生観は、歴史的考察を欠いた合理主義であり〉〈極端な欧化は、我が国の伝統を傷つけ、歴史の内面を流れる国民的精神を萎靡（いび）せしめる〉〈我等臣民は、西洋諸国に於ける所謂（いわゆる）人民と全くその本性を異にしてゐる〉

さて、これを単純化したような文章を最近も読んだ。自民党改憲草案に添えて同党の「憲法改正推進本部」が発行した『自民党憲法改正草案Ｑ＆Ａ増補版』である。人権規定を大きく見直す理由として『Ｑ＆Ａ』はこう記している。

〈人権規定も、我が国の歴史、文化、伝統を踏まえたものであることも必要だと考えます。現行憲法の規定の中には、西欧の天賦人権説に基づいて規定されていると思われるものが散見されることから、こうした規定は改める必要があると考えました〉

あらゆる人間は生まれながらにして自由・平等であり、幸福追求の権利を持つという天賦人権論。これは人類がたどり着いた共通の叡智だというのがごく常識的な考えだと思うが、自民党改憲草案の『Ｑ＆Ａ』はこれを「西欧の説」だと一蹴し、「我が国の歴史、文化、伝統を踏まえたもの」に「改める必要がある」と説く。

こればかりではない。自民党改憲草案は、現行憲法13条〈すべて国民は、個人として尊重される〉を〈全て国民は、人として尊重される〉と書き直した。どうやら「個人主義」なるものへの怨嗟のなせるわざらしいのだが、これもまた『国体の本義』でまったく同じ理屈が唱えられている。

〈我が国民の生活の基本は、西洋の如く個人でもなければ夫婦でもない。それは家である。家の生活は、夫婦兄弟の如き平面的関係だけではなく、その根幹となるものは、親子の立体的関係である。この親子の関係を本として近親相倚り相扶けて一団となり、我が国体に則つて家長の下に渾然融合したものが、即ち我が国の家である〉

こんな文章も『国体の本義』にはある。

〈我が国は一大家族国家であつて、皇室は臣民の宗家にましまし、国家生活の中心であらせられる。臣民は（略）宗家たる皇室を崇敬し奉り、天皇は臣民を赤子として愛しみ給ふ〉〈「わたくし」に対する「おほやけ」は大家を意味するのであつて、国即ち家の意味を現してゐる〉

市民の諸権利を「西洋思想」、あるいは「西欧の説」などと一蹴する『国体の本義』と自民党改憲草案。「家制度」をめぐる発想についても両者には明らかな共通性が漂う。

選択的夫婦別姓の導入を拒絶し、ＬＧＢＴの存在にすら憎悪の眼を向ける与党議員らは、その理由として「家族の崩壊」を繰り返し訴えてきた。ここで触れたくもないが、ＬＧＢＴを指して『生産性』がない」と放言した某議員は、産経新聞サイトの連載で〈夫婦別姓、ジェンダーフリー、LGBT支援——などの考えを広め、日本の一番コアな部分である「家族」を崩壊させようと仕掛けてきました〉などと書いたこともあった。しかも、それを〈仕掛けてきた〉のは〈息を吹き返しつつ〉ある〈コミンテルン〉だと。

これほど愚かで荒唐無稽(むけい)な妄想ではないにせよ、現首相の思想らしきものも同類である。かつて夫婦別姓制に反発し、「我が国がやるべきは別姓導入ではなく家族制度の立て直しだ」と訴えているし、天皇を〈元首〉と位置づけた自民党改憲草案には次の条文がある。

〈第24条　家族は、社会の自然かつ基礎的な単位として、尊重される。家族は、互いに助け合わなければならない〉

さらに『国体の本義』は、「西洋」の「個人主義・自由主義」をこう排撃している。

〈人が自己を中心とする場合には、没我献身の心は失はれる〉〈西洋諸国の国民性・国家生活を形造る根本思想たる個人主義・自由主義等と、我が国のそれとの相違は正にこゝに存する〉〈元来個人は国家より孤立したものではなく、国家の分として各々分担するところをもつ個人である。分なるが故に常に国家に帰一するをその本質とし、こゝに没我の心を生ずる〉

人びとがいて国家を構成するのではない。国家が先にあり、人はその〝部品〟にすぎず、余計なことは考えずに没我服従せよ——つまりはそういうことである。

そんな『国体の本義』と現政権、あるいは自民党改憲草案などとの近似性について、あらためて整理すれば、以下の点に集約される。
（1）人は生まれながらに自由、平等であり、幸福追求の権利があるという天賦人権論、または国家が個人の自由をむやみに侵害すべきではないという自由権、こうした普遍的な人権概念を「西欧の説」などと軽々しく一蹴し、日本は独自の人権概念があるのだと主張する。
（2）同じような理由で「個人主義」なるものを怨嗟し、伝統や社会を破壊すると主張する。
（3）また、「家制度」を極度に重視し、「国民生活の基本」などと位置づける。『国体の本義』の場合、日本は〈宗家たる皇室〉を中心とする〈君民一体の一大家族国家〉とまで主張し、次のように書いた。〈我が国民の生活の基本は、西洋の如く個人でもなければ夫婦でもない。それは家である〉〈我が国体に則とつて家長の下に渾然融合したものが、即ち我が国の家である〉
繰り返しになるが、『国体の本義』とは、戦前の日本を席巻した狂気の国体明徴運動などを経て当時の文部省が編纂・発行した冊子であり、いわば戦前戦中のファッショ体制を支えた思想の〝正統的解釈書〟だった。現政権の面々がどこまで意識的か無意識的かはともかく、政権と与党の向く方向はその思想と明らかに似かよっている。

このことについて私は先日、憲法学者の小林節氏に話を訊く機会があった。改憲派として与党議員らと親交を重ね、しかし最近は政権を激しく批判している小林氏はうんざり顔でこう評した。

「彼らは『日本を取り戻す』と言いながら、明治憲法体制を取り戻そうとしか考えていない。

これはもはや確信です」「考えうる究極的に最悪の事態を招いた明治憲法体制に戻ろうなどという動きには、断固抵抗しなくてはならない」

２０１８年09月16日

沖縄と権力と民主主義

翁長雄志前知事と沖縄の闘いを、樹子夫人が語る

この知事選の主役は別にいる

1時間ほど前から上空に黒々と現れた雨雲から、とうとう大粒の雨が落ちはじめた。迷信じみたことは一切信じないが、折りたたみ傘を開きながら私は、これは凶兆ではないかと訝(いぶか)った。集会の開会時刻である午後4時、ぴったりとそれに合わせて雨が降り出したからである。結論からいえば、これは凶兆などではなく、むしろ吉兆というべきだったのだが、そのことについては追って記したい。

沖縄県知事選真っ只中の9月22日、那覇市おもろまちの新都心公園。気温は30度を超えていただろう、Tシャツ一枚でも汗ばむほど暑く、雨で湿った芝生が足元を濡らす。それでも園内は数千の人波で埋まり、玉城デニーの総決起集会ははじまった。

用意してきた傘を開く者も、カッパを着て芝生に座る者もいた。どうせ通り雨だと分かっているのか、シャツを濡らしたまま舞台に目を向ける者も多かった。

会場の新都心公園とその周辺は沖縄戦の激戦地であり、戦後は長く米軍基地になっていた。それが1987年に返還され、現在は大型ショッピングセンターなどが林立して活気にあふれる。急逝した前知事・翁長雄志（享年67）の遺志を継いで名護市辺野古への新基地建設阻止を訴え、「誇りある豊かさ」を実現すると唱える玉城陣営にとって、これほどふさわしい決起会場はない。数千の聴衆に迎えられて壇上に立った玉城の演説も、最も盛り上がったのはこう訴えた瞬間だった。

「私たちが安らかに暮らす、笑顔で暮らすためには、平和でなくてはなりません。翁長知事は平和と経済を両立させるとおっしゃった。辺野古の基地建設はその理念に真っ向相反する。辺野古に基地はつくらせない。そのことをあらためて約束しますっ！」

ひときわ大きな拍手と歓声が湧き、指笛の音があちこちから響いた。その様子を会場の隅で眺めながら私は、この知事選の主役は別にいると痛感した。そう、わずか45日前に世を去った翁長雄志である。

翁長がいなければ、沖縄の保守から革新までを束ねる「オール沖縄」の態勢は実現しなかった。8月8日に急逝した翁長の遺志がなければ、場合によっては後継候補を決めることすらできず、「オール沖縄」態勢は空中分解してしまったかもしれない。沖縄の政界関係者はそう口を揃えた。

だが、翁長の遺志として玉城が後継に指名され、「オール沖縄」態勢は息をつなぎ、再駆動した。玉城陣営にとって最大の求心力は〃弔い選挙〃である。だからなのだろう、雨天の集会で〃大トリ〃を務めたのは翁長の妻・樹子だった。

あらためて記すまでもないことだが、私は一介の取材者にすぎない。もちろん沖縄の知事選に限らず、さまざまな事象を眺めるとき、市民的な意味での思い入れは常にあるが、取材時は観察者、傍観者に徹する。それは取材者としてごく当然の所作でもある。

ただ、集会での樹子の言葉には心を揺さぶられた。正直に告白すれば、涙が出そうになった。それほど心のこもった発言だった。だからその全文をここで紹介しておきたい。樹子も涙で時おり声を詰まらせ、落ちる雨に濡れながら、聴衆にこう語りかけた。

権力で民意を押しつぶそうとする選挙

「うまく喋る自信がありません。たくさんの方に支えていただいて頑張りましたが、翁長は急逝しました。頭の中では亡くなったことを理解しているつもりですが、心が追いつきません。洗濯物をたたんでいるとき、ご飯の準備をしているとき、つい『あっ、パパ』って言ってしまう。すると遺影の中の翁長が笑っているの。『バカだなぁ、君は』って。翁長が、恋しいです。

あの笑顔が、もう一度見たい。あの笑い声を、もう一度聞きたい。でも、叶わない。

翁長はいつも言っていました。同じウチナーンチューが一生懸命考えて結論を出すんだと。だから私は今回、県民の一人一人が出す結論を静かに待とうと思っていました。ところが、日本政府のなさることがあまりにひどい。たった１４０万の沖縄県民に、（日本の人口の）わずか１%の県民に、〝オールジャパン〟と称して政府の権力をすべて行使し、私たち沖縄県民を愚弄して、押しつぶそうとする。民意を押しつぶそうとする。なんなんですかこれは……。

こんなふうに出てくるのは正直、ためらいがありました。でも、翁長が『みんなで頑張らないといけないから、君も頑張ってくれ』と言っている気がして、この場に立っています。

この沖縄は、翁長が心の底から愛して、１４０万県民を命がけで守ろうとした沖縄です。県民の心に寄り添おうとしない人たちに、申し訳ないけれど、譲りたくありません。負けるわけにいきません。

いまデニーさんのお話を聞いて、よかった。うちの人の心をデニーさんが継いでくれると思ったら、涙が止まりません。簡単には勝てない。それでも簡単には負けない。翁長が信じていたウチナーンチューの心を、マグマを噴き出させてでも、必ず勝利を勝ち取りましょう。頑張りましょうね」

発言で樹子は、政府と政権が「権力をすべて行使」し、「民意を押しつぶそう」としていると憤った。選挙戦の沖縄を歩くと、その指摘はまったく的を射ていると私も感じた。

今回の知事選で玉城と事実上の一騎打ちを繰り広げた前宜野湾市長の佐喜眞淳（54）は、国政与党である自民党と公明党による総力をあげた支援を受けた。それは、一都道府県の知事選としてはありえないほど異例の分厚い支援だった。

政府からは官房長官の菅義偉が、自民党からは幹事長の二階俊博が、選挙戦の最中に繰り返し沖縄入りし、企業や団体を締めあげた。党総務会長の竹下亘はほぼ沖縄に張りついて選挙戦を指揮した。沖縄の衆院4選挙区のうち1区は竹下自らが担当し、他の3区は3人の副幹事長が担う総力態勢を組み上げた。

自民党の各派閥も数十人の議員秘書軍団を送り込み、街頭では小泉進次郎筆頭副幹事長らがフル稼働した。私の本誌コラムでも記したが、沖縄市役所前で佐喜眞と進次郎が並んで演説した際は、前座でマイクを握った地元市長が聴衆にこんなことを言い放つ始末だった。9月23日夕のことである。

「みなさんのお目当てが進次郎先生なのは十分わかっております。間もなく到着しますので、もう少しお待ちくださ〜い！」

もはや笑い話のような情景だが、佐喜眞陣営の選挙戦は徹頭徹尾この調子だった。辺野古への基地建設の是非は語らず、強調するのは政権とのパイプを背景とした経済振興。県民所得が全国最低といった沖縄の苦しい実情があるにせよ、官房長官の菅が街頭で「携帯料金の4割削減」を〝公約〟すると、知事選と何の関係があるのかと失笑すら広がった。

絶望と怒りから「オール沖縄」へ

取材中、奇妙な情報も耳にした。厚労相までが密かに沖縄入りし、保育業界の集会で佐喜眞への投票を呼びかけた、というのである。現職大臣が所管業界に直接支援を訴えるなど、にわかには信じがたい所業だが、この情報は間もなく『東京新聞』が記事化した。9月17日、宜野湾市内で開かれた「県保育推進連盟」集会での出来事だという。

〈連盟加入の保育園に動員をかけ、千人余りが出席。佐喜真氏や加藤勝信・厚生労働相らが登壇した。後日、佐喜真氏への期日前投票の呼び掛けと、市町村名や投票に行った人数、日にちの報告を求める「実績調査票」が参加者にファクスで送られた。（略）投票行動の調査は、憲法で保障された「秘密投票」や「投票の自由」に触れかねない。県選管は「個々の事例は判断できないが、秘密投票が原則であり、投票の自由を侵す行為や強要はあってはならない」と述べた〉（10月2日付朝刊）

公明党の支持母体である創価学会の動きもすさまじく、組織を通じた集票に総力を傾注したらしい。沖縄に暮らす私の知人は「ほとんど面識ない人から一日に何度も電話がある。こんな選挙は初めてだ」とうんざり顔だった。

こうした政権と与党の露骨な選挙戦を、私は本誌のコラムでこう評した。過重な基地負担に喘ぐ沖縄の民意をあらためて示したい陣営に対し、圧倒的な権力でその民意を翻させたい陣営の戦い。いわば下からの民主主義に対する〝上からの民主主義〟。最終的には選挙で結果を示すから民主主義とはいえ、こんなものは民主主義と呼べない――と。

決起集会の翌日、那覇市内の翁長邸を訪ね、あらためて樹子に話を聞いた。翁長の遺影と遺骨が置かれた応接室で、樹子の怒りはやはり相当深いようだった。

「青木さんも取材されたらお分かりでしょう。これはもう国家の暴力です」

――確かに政治権力が総動員されている印象です。

「翁長も保守の政治家でしたが、いまの自民党は硬直しています。幅が狭くなっている。以前は違いましたよ。もっと情があった。もっと切磋琢磨（せっさたくま）し、丸く収めようという努力があった。でもいまの自民党は怖い。変です。極右化してしまったというか……」

数年前、私が長時間インタビューした際、生前の翁長も似たようなことを語っていた。従来の政権だって米軍基地を沖縄に押しつけてきたが、最低限の「情」があったと。少なくとも、沖縄の歴史と痛みへの知識と悔悟が根底には流れていたと。

だが、現政権は違うと翁長も言った。沖縄戦での住民の集団自決をめぐり、旧軍の強制性を教科書から削除しようとした。沖縄が米軍統治下に置かれたサンフランシスコ講和条約発効の日を「主権回復の日」と称して祝典を開いた。いずれも現政権下の出来事であり、これらが翁長の絶望と怒りを呼び起こし、かつては自民党沖縄県連の幹事長まで務めた翁長を「オール沖縄」態勢へと駆りたてた。私が変わったんじゃなく、自民党が変わってしまったんだ——と。

沖縄からのボールは本土に

それだけではないとも樹子は明かした。

「翁長は、銀座でアピールしたときに『絶望した』と言っていました」

——那覇市長時代の2013年、銀座でデモ行進をした際のことですね。オスプレイ配備に抗議する翁長さんたちは醜悪なヘイトスピーチまで浴びせられました。

「ひどい状況でした。ただ、それよりも道ゆく人びとの無関心に彼はもっと絶望したんです。賛成でも反対でも、関心を持ってくれれば戦いようがある。だからいまの私に何ができるか考えたら、沖縄が強いられる不条理を全国のみなさんに知ってもらうこと。翁長の弔い選挙といっても、弔い選挙なんて1回で終わりですよ。沖縄の戦いは今後何十年も続くんです」

——翁長さんもきっと同じ想いだと。

「ええ。これは翁長が前々から言っていて、亡くなる直前にも繰り返していたんですが、『ウチナーンチューはみんな分かってるんだよ、樹子』って。『いろいろな立場があるから、辺野古も賛成、反対と言うけれど、心の中ではみんな分かってる』って。『沖縄がいまのままでいいと思っている人は1人もいない。心にはみんなマグマを溜めこんでいて、何かのときはそれが爆発する』って……」

翁長の予告通り、沖縄の民意はマグマとして噴き出し、政権の露骨な権力行使を見事に押し返した。玉城が知事選の過去最高得票となる39万票余を獲得し、佐喜眞に8万票もの差をつけたのは、文字通りの圧勝であり、翁長の遺志は新たな知事へと受け継がれた。米兵を父に持つという、沖縄の戦後を背負ったかのような新知事の下、沖縄の民主主義は新たな位相に入ったともいえる。にもかかわらず、「粛々」と新基地建設を強行するのか否か、その政権の振る舞いを許すのか否か、沖縄が投げたボールは本土の私たちにも委ねられ、現政権とどう向き合うかが真剣に問われる。

そういえば、玉城の決起集会で降った雨についても記しておかねばならない。

樹子によれば、翁長は〝雨男〟だった。県議時代も、那覇市長時代も、重要な集会やイベントはしばしば雨に祟られた。台風の直撃を受けたことも一度や二度ではない。

「昨日（22日）も雨だから、ああまた雨だなって、そう思いました」

集会に合わせるかのように降り出した雨について樹子はそう言って笑い、玉城陣営ではこんな会話が交わされていた。〝雨男〟の翁長が公園の上にやってきて、集会を見守っているんだろう、と。だから雨が降り出したんだ、と。

迷信じみたことは信じない私だが、これにはなんだか頷きたくなった。あの雨は凶兆などではなく、まさに吉兆だったのである。

２０１８年10月21日

2019年

根を張る病

慰安婦に徴用工、そしてレーダー照射問題まで加わり、日韓関係は悪化の一途をたどっている。一刻も早くこうした状況は脱してほしいと願いつつ、関係改善にはしばらく時間が必要かもしれない。両国の政権のルーツやスタンスの差異が真正面からぶつかる局面に入ってしまったからである。

まずは韓国の現大統領である。もともと現在の北朝鮮地域で暮らしていた文在寅（ムン・ジェイン）の両親は、１９５０年に勃発した朝鮮戦争の惨禍を逃れ、現在の韓国南部に位置する小さな島・巨済（コジェ）島に渡った。そこで生まれたのが文在寅だった。

半島の大半を焦土に変えた朝鮮戦争によって多くの人びとは困窮に喘いだが、文在寅一家も例外ではなかった。母の行商で家計を支え、わずかなトウモロコシの餅や粥で飢えをしのいだ。先ごろ邦訳も出版された『運命 文在寅自伝』（岩波書店）によると、文在寅はいまも自転車に乗れないらしい。幼いころ家に自転車すらなく、乗る練習をしたことがないからだという。

それでも苦学して大学に進み、民主化運動に関わった。妻との出会いも運動がきっかけだった。軍事独裁を率いて民主化勢力を弾圧した朴正熙政権への抗議デモで勾留された際、面会に訪れたことで親しくなったのだという。その後、弁護士となって以降も民主化運動に取り組み、韓国がようやく民主化を果たしたのは80年代末になってのことである。

一方の首相については詳しく記すまでもあるまい。岸信介を母方の祖父に、安倍晋太郎を父に持つ首相は54年、名門政治一家の〝サラブレッド〟として東京で生まれた。朝鮮戦争の休戦協定がようやく結ばれたばかりの半島は混乱の極みにあったが、東京はこの戦争も追い風に高度経済成長期へと向かい、生活に不自由や苦労は何ひとつなかったろう。

それ自体が悪いことではもちろんないし、名門政治一家に生まれたことで他人には推し量れぬ苦悩やプレッシャーがあったのかもしれない。ただ、自らを溺愛した祖父への憧憬（しょうけい）ゆえか、単なる無知がなせるわざか、現首相は過去の歴史に対する自戒が極度に薄く、はっきり言ってその言動は歴史修正主義的ですらある。しかも憧憬する祖父は韓国の軍事独裁と深くつながり、過去を明確に清算しないまま日韓を正常化にも導いた。

つまり、両政権の性格は完全に真逆。日本ではメディアも韓国批判一色だが、文在寅は本音のところ首相と話をしたくもないと思っているのではないか。

言うまでもなく、韓国にも問題はある。レーダー照射問題に関していえば、韓国側の弁明に不自然な点も多い。しかし、慰安婦や徴用工問題については、文在寅が年頭会見で口にした台詞に耳を傾ける必要もある。

「韓国と日本には過去、不幸な歴史があった。これは韓国が作った問題ではなく、日本政府はもう少し謙虚になるべきだ」

そう、問題の原点は日本の過去の蛮行にある。なのに官房長官はこれを「韓国の責任を日本に転嫁するものだ」と罵倒し、メディアの韓国批判も高まるばかり。政権とその支持層が扇動する歴史修正の病は、相当に深く根を張ってしまったようである。

２０１９年02月03日

別の理由

私の手元に一通の文書がある。表紙に印字されたタイトルは〈日米同盟の実務に関する歴史的考察――日米地位協定を中心に〉。防衛省の防衛研究所が２０１０年度に「基礎研究成果報告書」として取りまとめたものである。その表題通り、文書は日米地位協定の歴史と現況を概観しているが、冒頭で研究の意義をこう訴えている。

〈将来わが国が日米地位協定の改正を考えることがあるならば、現行の協定が締結された経緯と、他国の類似の事例を見るべきである。本研究はその一助となる〉

もとよりその趣旨に異議はない。いや、「将来改正を考えることがあるならば」どころか、沖縄では従前から改定を求める声が切実に上がってきた。米兵らの犯罪に日本側の捜査権や裁

この度はご購読ありがとうございます。アンケートにご協力お願いします

本のタイトル

●本書を何でお知りになりましたか？（○をお付けください。複数回答可）

1.書店店頭　　2.ネット書店
3.広告を見て（新聞／雑誌名
4.書評を見て（新聞／雑誌名
5.人にすすめられて
6.テレビ／ラジオで（番組名
7.その他（

●購入のきっかけは何ですか？（○をお付けください。複数回答可）

1.著者のファンだから
2.新聞連載を読んで面白かったから
3.人にすすめられたから
4.タイトル・表紙が気に入ったから
5.テーマ・内容に興味があったから
6.店頭で目に留まったから
7.SNSやクチコミを見て
8.電子書籍で購入できたから
9.その他（

●本書を読んでのご感想やご意見をお聞かせください。

※パソコンやスマートフォンなどからでもご感想・ご意見を募集しております。
詳しくは、本ハガキのオモテ面をご覧ください。

●上記のご感想・ご意見を本書のPRに使用してもよろしいですか?

1. 可　　2. 匿名で可　　3. 不可

郵便はがき

おそれいりますが
切手を
お貼りください。

102-8790

東京都千代田区
九段南1-6-17
毎日新聞出版
営業本部 営業部行

ご記入日：西暦 年 月 日		
フリガナ		男 性・女 性 その他・回答しない
氏 名		歳
住 所	〒 - TEL ( )	
ールアドレス		

希望の方はチェックを入れてください

毎日新聞出版 らのお知らせ ………… ✓	毎日新聞社からのお知らせ (毎日情報メール) … ✓

日新聞出版の新刊や書籍に関する情報、イベントなどのご案内ほか、毎日新聞社のシンポジウム・ミナーなどのイベント情報、商品券・招待券、お得なプレゼント情報やサービスをご案内いたします。
記入いただいた個人情報は、(1)商品・サービスの改良、利便性向上など、業務の遂行及び業に関するご案内(2)書籍をはじめとした商品・サービスの配送・提供、(3)商品・サービスのご案という利用目的の範囲内で使わせていただきます。以上にご同意の上、ご送付ください。個人報取り扱いについて、詳しくは毎日新聞出版及び毎日新聞社の公式サイトをご確認ください。

本アンケート(ご意見・ご感想やメルマガのご希望など)はインターネットからも受け付けております。右記二次元コードからアクセスください。
※毎日新聞出版公式サイト(URL)からもアクセスいただけます。

判権が及ばず、自治体などの基地立ち入り権すらない協定は一度も改定されたことがなく、最近は全国知事会も〈抜本的見直し〉を求める提言を出すなど、協定改定を訴える声はすでに相当な広がりをみせつつある。

なのに政権は、「沖縄に寄り添う」と嘯きつつ名護市辺野古への基地建設を強行し、米国製の武器を爆買いして米政権のご機嫌取りに躍起。一方で協定改定に乗り出す気配など微塵もないのだが、防衛研究所の研究文書は、協定を改定できぬ理由として別の興味深い事実も吐露している。

〈米国が改正要求に対して好意的に応じた欧州2カ国と（日本は）決定的に違う〉〈つまり、人権擁護に対する関心の度合いが低いと評価された国に駐留米軍に対し広範な権限を行使されたくない、特に刑事裁判管轄権は、蛮行を厭（いと）わないおそれのある司法官憲に大切な自国民の身柄を委ねることは、基地の効果的運用、兵員の士気の維持に重大な影響を及ぼしかねないとの懸念がある〉（丸カッコ内は引用注）

その上でこうも指摘している。

〈協定の改正には、膨大なエネルギーと時間を要する。（略）さらに深刻なことは、本研究が示したように仮に米国の交渉態度と日本の人権擁護に対する関心の度合いとの間に相関関係があるとするなら、日本社会の人権状況を改善しなければならず、それには膨大な時間とエネルギーが必要〉

やや分かりにくい文章だが、要は日本の刑事司法の後進性——つまりは被疑者や刑事被告人の人権を軽視する姿勢と制度を放置する限り、米国が協定の改定に応じる可能性は低い、ということだろう。最近では日産自動車のカルロス・ゴーン前会長の事件によって、そうした悪弊はさらに強く国際的に印象づけられた。

そのことを、少なくとも防衛省の研究機関は自覚している。だが、政府も法務省も裁判所も知らぬふりを決め込んでいる。私はこの研究文書の存在を東京新聞の田原牧・特報部長の記事（1月10日付の同紙朝刊）で知ったのだが、あらためて文書の全文を読んで痛感したのは、地位協定の改定も決して沖縄固有の問題などではなく、本土の政治や司法システムに由来する本土の問題なのだ、という至極当たり前の事実だった。

２０１９年02月10日

首相の口

「新規（自衛）隊員募集に都道府県の６割以上が協力を拒否している。この状況を変えるため、憲法に自衛隊を明記しよう」

現首相が先月10日、自民党大会で口にしたこの発言が事実の歪曲、あるいは虚偽に近いことは、すでに各メディアでも指摘されている。だから詳しくは繰り返さないが、隊員募集に協力しているのは都道府県ではなく市区町村。また、全国の市区町村のうち隊員採用条件に該当する住民の個人情報を提供しているのは36％だが、他の多くも住民基本台帳の閲覧などを認めており、実際は約9割が何らかの形で協力している。

だというのに首相は国会でも「情報を隊員が手書きで写している」から「6割以上で協力が得られていないのが真実」と強弁した。これまでも数え切れないほど詭弁や虚偽を弄して言い逃れてきた首相だから、ひどく呆れはしてもさほど驚きはない。むしろ気になったのは、これほど杜撰（ずさん）な主張の〝ネタ元〟である。首相にこのような浅知恵をつけたのは誰か。調べてみると案の定、首相のコアな支持層でもある極右団体だった。そう、日本会議である。

昨年12月、〈美しい日本の憲法をつくる国民の会〉が集会時に配布したビラが手元にある。この会は、右派のアイコンと化した女性ジャーナリストと日本会議の現会長、前会長が〈共同代表〉に名を連ね、いわば日本会議のフロント組織。ビラには〈ありがとう自衛隊〉と大書され、こんな文句が記されている。

〈災害救助を要請する自治体が、なぜか自衛隊員募集には非協力〉〈全国六割の自治体が、自衛隊員募集に非協力的〉〈自衛隊の憲法明記を！〉

災害救助については首相も言及しており、論旨はまったくの相似形である。つまり首相発言は日本会議の主張の垂れ流しだったわけだが、これは事実の歪曲であると同時に極めて危険な発想でもある。

まず、災害救助を要請するくせに隊員募集には非協力的だと罵るのは、自衛隊に協力しない者など救助しないという恫喝にもなる。また、そもそも自衛隊員の募集になぜ自治体が協力せねばならないのか。同じ理屈に立てば、警察官だって消防隊員だって、他の公務員職の募集だって協力を求められてもおかしくない。だが、自衛隊のみに協力が求められるのは「徴兵」の発想に限りなく近い。

しかも首相発言の直後には自民党が所属国会議員に文書を発し、隊員募集に関する自治体の協力状況を確認するよう求めた。こうした動きを受け、全国の市区町村は自衛隊へのさらなる「協力」に向け、極めて強い圧力を感じることになるだろう。

そう考えると一連の騒動は、いかにも首相らしい事実の歪曲、あるいは虚偽に近い発言ではあったが、知恵を授けた日本会議などにとっては、いずれに転んでも好ましい結果になったともいえる。首相という最高権力者を操り、その口を通じて自らの主張を発信させることの効果を、極右団体は今回も深く味わったに違いない。

２０１９年03月24日

南半球の惨劇

ニュージーランド第二の都市クライストチャーチにあるモスクで銃を乱射し、50人を殺害する惨劇に手を染めた男は、事件の直前に犯行声明とも受け取れる文章をＳＮＳに投稿し、現在の米大統領をこんなふうに評していたという。

「新たに高まった白人のアイデンティティと共通目的の象徴だ」

一方の米大統領は事件直後、「白人至上主義が広まっているのではないか」と記者団に問われ、そんなものは「ごく少数」に過ぎないと事件の矮小化に躍起だったらしい。もちろん、南半球の国で起きた惨劇をすべて米大統領の責に帰すのはナンセンスだが、世界一の超大国に君臨する彼が排他や憎悪の風潮を煽ってきたことと事件がまったく無縁とも思えない。

実際に彼は移民を公然と犯罪者扱いし、女性やマイノリティへの差別発言を繰り返し、大統領令などで現実の移民排斥も進め、自国第一主義を鮮明にして国境に壁まで造ると吼えてきた。排他や不寛容の風潮を政治が煽り、ひとたび燃え広がれば、理性や知性の力では容易に鎮火できない。ある意味でそれは人間の醜い獣性のようなものだから、と指摘したのは、イタリアの作家ウンベルト・エーコだった。

しかし、その危険に無自覚なのは米国の為政者だけではない。この国の首相はクライストチャーチでの事件直後、ツイッターにこう書き込んでいる。

〈テロは、いかなる理由でも決して許されません。日本は、ニュージーランド及び国際社会と手を携えて、テロと断固として戦う決意です〉

これまた事件を「テロとの戦い」なる単純皮相な範疇(はんちゅう)に矮小化して押しこめ、事件がヘイトクライム(憎悪犯罪)であることから目をそらそうと躍起であるように見える。

そういえば2016年、神奈川県相模原市の障碍者施設で多数の入所者らが殺傷された際も政権は冷淡だった。死者19人、重軽傷者26人という戦後最悪級の大量殺人であり、被告となった男の犯行前後の言動をみれば、障碍者を狙い撃ちした明白なヘイトクライムだったのに、そうした視点で為政者が犯行を難じることはなかった。

それも無理はないのかもしれない。政権の閣僚はかつて「ナチスの手口に学べ」と公言し、首相お気に入りの与党議員は「生産性」などという尺度を持ち出してLGBT(性的少数者)を罵ってきた。書店にはヘイト本が溢れ、街頭では在日コリアンらに薄汚いヘイト言説を投げかける連中が跋扈し、そうした層が現政権を熱心に支持している。そう、排他や不寛容は現政権の駆動力にもなっている。

しかも米大統領の元側近として知られる男が最近来日した際、与党は本部での講演に招いたという。差別主義者だと各国で眉をひそめられている男を講演に招く与党に私は心底驚愕したのだが、朝日新聞デジタルによれば、元側近はその場で首相を「ナショナリスト」「偉大なヒーロー」と絶賛し、こんなことまで言ったという。「トランプ氏がトランプ氏である前に安倍首相がトランプ氏であったとも言える」

南半球の惨劇は決して他人事ではない。

２０１９年04月07日

政治利用の効能

いまさらの話だが、私は天皇制を支持しない。ただ、現に天皇制が存在する以上、その政治利用は厳に戒めねばならない。天皇と天皇制を徹底利用することでファッショ体制を招いた戦前、戦中の反省に立つ戦後日本の矜持であり、特にメディアはそこに監視の目を注ぎ込まなければならない。

では、今回の新元号公表はどうだろうか。

すでに伝えられている通り、新元号の出典は万葉集だという。従来の元号は、出典が確認されているものは中国の漢籍から引かれており、国書からの引用は史上初。元号の公表に合わせて自ら会見した首相はこう言って胸を張った。

「悠久の歴史と薫り高き文化、四季折々の美しい自然、こうした日本の国柄をしっかりと次の時代へと引き継いでいく」「そうした日本でありたいとの願いを込めた」

これを首相のコアな支持層も歓迎しているらしいのだが、実に面妖な話ではないかと私は思う。たかだか百数十年の「伝統」に過ぎない一世一元や「伝統的家族」なるものには異様なほどの執着を示すのに、千年以上も続いてきた漢籍出典はあっさり覆して何の痛痒（つうよう）も覚えない。おそらくは嫌中や自国礼賛といった性癖によるものだろうが、これはもはや伝統を重んじる保守ではなく、単に薄っぺらなナショナリズム。

それに引用した万葉集の該当部分は漢文で書かれ、中国の詩文集『文選』などの影響を色濃く受けている。そもそも元号だって漢字だって中国由来なのだから、「日本の国柄」などと胸を張るより、多様な文化の交流が豊かな伝統をもたらすことこそを言祝（ことほ）ぐべきだろう。

そんな皮肉はともかく、新元号に「願いを込めた」という一言にはさらに強い引っかかりを覚える。憲法が定めるように天皇の地位が「国民の総意に基づく」なら、天皇制と不可分の元号も同様であり、一政権や首相が勝手に「願いを込め」て下賜するようなものではない。そればかりか、首相は会見でこんなことまで語りはじめる始末だった。

「本日から働き方改革が本格的にスタートする。次の世代、次代を担う若者たちがそれぞれの夢や希望に向かって頑張っていける社会、一億総活躍社会をつくり上げることができれば、日本の未来は明るい」

いずれも自己の政権スローガンである。新元号の公表に当たっての会見で、これはかなり露骨な政治利用そのものではないのか。

振り返ってみれば、昭和天皇の死去に伴う改元時の首相は自らしゃしゃり出て会見などせず、官房長官を通じて談話を発しただけだった。それも５００字ほどの簡素な内容で、政権のアピールなどはもちろんなし。現在よりはるかに謙抑的だった。

ひるがえって新元号の公表も平然と政治宣伝の場にした現政権。その〝効能〟は絶大だったようで、共同通信が４月１、２日に実施した世論調査によると政権支持率は10ポイント近くも上昇した。この程度の国民にしてこの政権ということか、メディアも新元号狂乱に踊るのみ。自制心なき政権の面々はさぞ笑いがとまらないだろう。

２０１９年04月21日

盗聴の解禁

メディアでも問題視する声がほとんど出ないから、ここでしつこく指摘しておく。２０１６年に大幅改定された盗聴法（通信傍受法）がこの6月1日、ついに完全施行された。警察庁はすでに専用の盗聴機器を１４１台も導入し、今年度中に２００台近くまで増やすという。これによって警察当局の盗聴捜査は飛躍的に〝利便性〟を増し、制御を誤れば個人のプライバシーなど丸裸にされてしまうだろう。

順を追って簡単に経緯を振り返る。囂々（ごうごう）たる反発の中、従来の盗聴法が成立したのは1999年。憲法が定める通信の秘密を侵しかねないから、当時の与党内からも慎重論がわきおこり、国会では与野党が論戦を繰り広げ、最終的に成立した法はかなり抑制的な内容になった。盗聴捜査の対象は組織的な殺人、集団密航、銃器や薬物犯罪の4類型に限られ、盗聴場所は通信事業者の施設内とされ、盗聴時は事業者の立ち会いも必要とされた。

しかし、警察庁などは強化の機会を虎視眈々とうかがっていた。転機となったのは2010年、大阪地検で発覚した証拠改竄という検察の大不祥事である。そう書けば、なぜ不祥事が転機に？と疑問を抱く向きもあるだろうが、法務・検察や警察はしたたかだった。

証拠改竄という不祥事は従来の検察、警察捜査を問い直す契機となり、取り調べの録音・録画（可視化）が一部ながらも導入されたが、一方で法務・検察や警察はその引き換えとして捜査権限の強化も求め、日本版の司法取引制度の導入や盗聴法の大幅強化などを手中に収めたのである。

加えて現政権が発足し、警察官僚が政権中枢に深々と突き刺さったことも大きな作用を及ぼしただろう。改正盗聴法は従来のくびきを完全に解き放った。対象犯罪は殺人、放火、誘拐などのほか傷害、詐欺、窃盗といった一般犯罪にまで拡大し、事業者の立ち会いも不要。6月1日からは専用の盗聴機器を使い、警察施設内での盗聴や録音なども可能となった。

もちろん、裁判所の令状が必要なのは変わらない。だが、それでどこまで適切に制御できるか。今年に入って共同通信がスクープして注目を集めたが、警察や検察は交通系ＩＣやポイントカード事業者に裁判所の令状が不要な捜査事項照会をかけ、顧客情報をやすやすと入手していた。私の取材経験でも、都銀やレンタカー会社などが任意の捜査事項照会で顧客情報を提供してしまっている。

また、本誌で１年前にリポートしたが、防衛問題に精通した石井暁・共同通信編集委員によれば、米国の情報機関が開発した「エックスキースコア」を防衛省の電波部がすでに活用しているらしい。エドワード・スノーデン氏の告発で明るみにでたこのシステムは、米情報機関が蓄積した傍受情報にアクセスする装置とみられ、ありとあらゆる人物のメールやウェブ閲覧・検索記録などの収集が可能。電波部は警察官僚が指揮しているが、こちらも問題視する声は上がらない。当局の個人情報収集能力の強化も怖いが、それに極度に鈍感化した政治や社会も相当に恐ろしい。

２０１９年06月16日

傾奇者（かぶきもの）

今年で60周年を迎えたという吉本新喜劇の舞台に現首相が登場したのは4月20日のことだった。続いて首相は人気アイドルグループのメンバーと会食し、その際の嬉々とした表情の集合写真をＳＮＳにアップした。吉本新喜劇のメンバーは6月6日にも官邸を訪問し、首相を囲んで談笑する様子がメディアで報じられている。

言ってみれば、単にそれだけのことである。ただ、芸能の世界と政治権力の関係としてとてもグロテスクな情景だと感じたから、レギュラー出演しているＴＢＳ系『サンデーモーニング』で私は苦言を呈した。といっても、大上段に振りかぶったわけではなく、あくまでやんわりと、「権力との距離の取り方がおかしくないか」といった程度に。

これがネットなどで〝炎上〟したらしい。それほどヒマではないのでいちいちチェックなどしていないが、多少の賛意も示される一方、猛烈な批判が湧き立ったという。「首相が誰と会おうが自由だろ」「首相と仲良くしただけで、なぜそこまで批判するのか」。そんな反発が渦巻いていると、知人のネットライターに教えられた。

もちろん、批判は自由である。しかし、私の認識は違う。役者にせよ、音楽家にせよ、あるいはお笑い芸人等々にせよ、およそ芸事を生業（なりわい）としている者たちは、たとえ一般の常識から見れば何かが大きく欠落しているとしても、何か特段に飛び抜けた部分を持っていて、その飛び抜けた部分が多くの人びとを惹きよせる傾奇者。かつての王政下の宮廷道化師ならともかく、よって立つのはあくまでも庶民大衆であり、だから時に権力や権威を皮肉り、笑い飛ばし、それに庶民大衆がひととき溜飲を下げ、喝采を送るのが本来の姿。つまり反権力、反権威は基本的なたたずまいではないのか。

なのに芸人たちが権力に擦り寄り、愛想笑いを浮かべるなどグロテスク以外の何物でもない。しかも昨今は一部の芸能人やタレントが政権批判を口にするとバッシングを浴び、果ては「芸能に政治を持ち込むな」などというトンチンカンな声まで飛び出す始末。一方で政権に擦り寄る芸人やタレント、芸能事務所などは大した批判にもさらされない。首相が新喜劇の舞台に立った翌日、大阪では衆院の補選が実施されていて、これぞまさに露骨な「お笑いの政治利用」にほかならないというのに。要するに、権力におもねる者は大目にみよ、おもねらぬ者はけしからんということか。まことに病的である。

そういえば、私が『サンデーモーニング』でやんわりと苦言を呈した際、司会の関口宏さんがこう言って私のコメントを引き取ってくれた。

「笑いの原点は風刺でね。チャップリンっていう人がどう生きたかを見れば、それは分かるんですけどね」

まったくそのとおりだと思う。だが、チャップリンほどの矜持と覚悟を持った芸人が、現在のこの国にいるだろうか。いや、その矜持や覚悟とは何かすら、ほとんど共有されていないのではないかと私は訝っている。

２０１９年06月30日

出版人の頽廃

吉本興業の芸人らが〝闇営業〟で詐欺グループの宴会に参加し、報酬を受け取っていたとされる問題は、写真週刊誌『ＦＲＩＤＡＹ』のスクープが事実発覚のきっかけだった。売り上げの漸減で青息吐息の雑誌業界、ことに写真週刊誌による久々のスクープだと眺めていたら、一部メディアやネットなどにこんな批判が流布されているらしい。「反社会的勢力からのタレコミやリークをもらって報じたなら、反社会的勢力とつきあった芸人と同じくらい問題」と。

一部の素人がそんな言説を吐いているだけなら、無視するか、やんわりと諭せばいい。ただ、どうやら出版界で最近注目されているという若手編集者が（私は注目したことなど一度もないのだが）同様のことを主張し、ネット上などでは賛意を示す声が相次いでいるらしい。出版界の頽廃もここまできたかと嘆息するしかない。

そもそも「反社会的勢力」などという官製用語を漫然と使うメディアの風潮自体、ひどく私の癇に障るのだが、それはとりあえず措く。メディアやジャーナリズムの原則に照らせば、仮に取材対象が「反社会的勢力」だろうとヤクザだろうと、あるいは世間から凶悪犯罪者だと指弾されている者であっても、接触できるなら手段を尽くして接触し、話を訊き、裏づけ取材を尽くした上でそれを伝えるのはメディアの基本的所作。

もちろん、情報を出す側にはさまざまな思惑や打算がある。しかし、そんなものは政治家だろうと官僚だろうと、警察や検察当局だって同じこと。現に政権や当局のリーク情報は世に溢れかえっていて、むしろそうしたリークによる情報操作の気配にこそメディアは神経を尖らせるべきだろう。

逆に、当局が「反社会的勢力」だとか犯罪者と位置づけた人びとにメディアやジャーナリストが接触できず、その声や主張も伝えてはならないというなら、世は当局公認の官製情報ばかりで埋め尽くされてしまいかねない。各種の犯罪や事件報道を例にとれば、警察や検察発の情報以外は流通しなくなり、それが過去数々の冤罪を産む温床にもなってきた。また、当局や公的情報に頼らないメディア報道があるからこそ、力を持つ者たちが煙たがるような事実も私たちの知るところとなってきた。実際に今回、『FRIDAY』のスクープがなければ、社会的に影響力を持つ大手芸能事務所の人気芸人と「反社会的勢力」なる者たちとの交友が表沙汰になることはなかった。

こんなこと、メディアやジャーナリズムの教科書が仮にあったとすれば、第1章に記されていてもおかしくない基本中の基本である。なのに、おそらくは一部だろうが、粗雑な〝素人談議〟が出版人から吐かれるのはなぜか。考えてみるに、雑誌の苦境が雑誌ジャーナリズムの弱体化を招き、出版界で禄（ろく）を食（は）む者ですらきちんとした取材現場に臨む機会を失っている――そんなことが頽廃の背後に横たわってはいないか。杞憂ならばいいのだが。

2019年07月14日

悪夢

毎日新聞が昨年から「公文書クライシス」と銘打ったキャンペーン報道を続けていて、新聞メディアならではの良質な調査報道だと感心しつつ、新たな記事を読むたびに暗澹（あんたん）たる思いにもさせられている。

直近の記事は7月3日付朝刊の1面トップにこんな見出しで掲載された。

官房長官面談も記録なし
内閣官房「必要ない」

ごく簡単に要約すれば、各省庁の幹部らが官邸で官房長官と面談した際、やりとりの記録がまったく残されておらず、官房長官の発言や指示などが完全なる〝ブラックボックス〟状態になっているのだという。関連記事を読んだ方はご存知だろうし、見出しに「官房長官『も』」と書いてあるからお気づきにもなるだろうが、この記事には前段があって、別に官房長官の面談記録だけが〝ブラックボックス〟になっているわけではない。毎日は4月と6月にも次のような見出しの特ダネを放っている。

首相の面談記録「不存在」
対省庁幹部、1年未満で廃棄
——4月14日付朝刊

首相の面談記録、作成せず
官邸、災害対策も
——6月3日付朝刊

国家や行政各機関の情報を公開するか否か、といったレベルの話ではない。そのはるか以前の問題として、この国では政権の最中枢が官邸で各省庁にどのような指示を発したか、記録そのものが残されていない。政策の意思決定過程も、その妥当性や正当性も、事後に何ら検証できず、後世に教訓や歴史すら残せない。

本欄で何度か繰り返してきたが、この国の情報公開制度や公文書の作成・保存態勢は、そもそも異常に後進的だった。だが、それでも徐々に関連法が整備され、重要文書が改竄されたり隠蔽されたりした森友・加計学園問題などを受け、公文書の作成や管理に関わるガイドラインも改訂された。

なのに官房長官は毎日の報道について会見で追及されても「記録は、政策を所管する各行政機関が必要に応じ作成・保存する」と嘯くのみ。一方、4月14日付の毎日記事では、匿名で取材に応じた複数の省幹部のこんな本音が紹介されている。

「官邸は情報漏えいを警戒して面談に記録要員を入れさせない」「首相の目の前ではメモは取れない。見つかれば、次の面談から入れてもらえなくなる」

要するに、森友・加計問題などを受けて政権は〝学習〟したということなのだろう。記録を残せば悪事がバレる、と。逆に記録さえ残さなければ、何をやっても決してバレることはない、と。

こうなってくると、もはや政策の「右」とか「左」とかいった問題ではない。〈健全な民主主義の根幹を支える国民共有の知的資源〉と公文書管理法が定める「国家の記録」を残さぬことさえ屁とも思わぬ、真の意味での「悪夢」的政権を容認するのか否か。先に公示された参院選の、それも大きな争点である。

2019年07月21日

火と闇

ジャニーズ事務所を創設したジャニー喜多川氏が死去し、追悼報道が溢れた直後、公正取引委員会が同事務所を注意したと伝えられた。事務所を離脱したアイドルグループの元メンバーを出演させぬよう民放テレビ局に圧力をかけた疑いがあり、これは独禁法違反につながる恐れがある——と。

続いて吉本興業が激震に見舞われた。端緒は所属芸人による詐欺集団の会合への出席という〝闇営業〟問題だったが、事実を正直に明かしたいと訴えたのに社長から恫喝で制止されたと当該の芸人が会見で告白すると潮目は一変、批判の矛先は吉本興業へと向かい、会見に応じた社長がしどろもどろの醜態を晒(さら)したのはご存知の通りである。

その芸人は社長からこう言い放たれたとも明かした。「在京5社、在阪5社のテレビ局は吉本の株主だから大丈夫」と。

発言の真意は定かでない。ただ、主要テレビは仲間だから抑えが利くのだという趣旨と受け止めるのが自然だろう。いずれの案件にせよ、大手芸能事務所なる存在の横暴と傲慢に驚く。いや、カマトトぶらずに率直に記せば、このようなことはメディア界の〝常識〟の範疇に属する事柄だった。

テレビはもちろん、大半のスポーツ紙、雑誌等々、いわゆる芸能分野に関わるメディア人は大手芸能事務所にからっきし弱く、その意向を忖度して右往左往し、加えるべき批判を加えてこなかった。結果、事務所側は増長した。詰まるところ、これはメディア側の問題ともいえる。

しかし、芸能分野のメディア人だけを難じている場合ではない。政治分野の報道だって、近年は過半のメディアが政権の応援団と化し、まるで提灯持ちかのようなメディア人も掃いて捨てるほどいる。テレビ番組をはしごして政権擁護を繰り返す政治ジャーナリスト、まるで〝いたこ〟のように政権ヨイショにいそしむ公共放送の記者、政権への批判者に口汚い罵倒を浴びせる新聞記者……。

反吐（へど）が出る。だが、私が長く携わってきた事件報道などの分野だって他人事ではない。事件報道で主要なネタ元となる警察と一体化し、本来報じるべき警察組織の矛盾や不祥事を平然と握りつぶし、警察に恩を売って踏ん反り返っていた記者を私は幾人か知っている。特捜検察が証拠の改竄などという犯罪に手を染めたのも、司法記者らが「巨悪を撃つ正義の機関」などと礼賛ばかりしてきたことと無縁ではない。

つまるところ、メディアや記者という種族は取材時の情報源や利害関係者にしばしばかしずいてしまう。情報や便宜供与で締めあげられればたちまち苦境に陥りかねないし、逆にヨイショして良好な関係を築けばさまざまなアメにありつける。

もちろん、それで良いはずがない。権力や権威の監視がジャーナリズムの本義である以上、どんな分野であろうと、メディア人は歯を食いしばって眼前の権力や権威と対峙しなければならない。その火が消えれば、社会は闇に覆われる。Democracy Dies in Darkness.

2019年08月11日

白色テロ

報じられているとおり、名古屋市などで開催している国際芸術祭「あいちトリエンナーレ」の企画展「表現の不自由展・その後」について、関係自治体の首長や政権幹部はこんな言葉を口にした。いずれも8月2日、すでに芸術祭の実行委員会に脅迫めいた抗議や批判が殺到していた時点での発言である。

・河村たかし名古屋市長「日本人の心を踏みにじるものだ。即刻中止していただきたい」
・菅義偉官房長官「（芸術祭事業などへの）補助金交付の決定にあたっては、事実関係を確認、精査して適切に対応したい」
・柴山昌彦文部科学相「（芸術祭への補助金交付は）事業の目的と照らし合わせて確認すべき点が見受けられる」
・松井一郎大阪市長「公金を投入しながら、我々の先祖があまりにもけだもの的に取り扱われるような展示をすることは違う」

ほかにも政権に近い腰巾着議員やチンピラ的なネトウヨ人士もツイッターなどで罵声を張りあげ、それはそれで重大な問題点を孕（はら）んでいるが、ここに氏名を記した者たちは立場が違う。いずれもなんらかの形で芸術祭と企画展に直接的権限や影響力を行使できる自治体の長、政権の幹部だからである。

結局は企画展が中止に追い込まれたことには各所で問題の本質を突く指摘が出ているから、あらためてくどくどと記さないが、こうした立場の者たちが芸術展の展示内容にいちいち言及し、中止せよとか不適切だと文句をつけるのは、芸術や表現活動に対する公権力の不当な介入にあたる。表現の自由を保障した憲法21条に反し、検閲に当たる疑いも強い。この点に関しては、芸術祭実行委員会のトップでもある愛知県の大村秀章知事による次のような反論はまったく正しい。

「公権力が思想内容の当否を判断すること自体が許されていない」「補助金もらうんだから国の方針に従うのは当たり前だ、と言っている方がいるが、逆ではないか。税金でやるからこそ、公権力であるからこそ、表現の自由は保障されなければいけない」

さらに深刻だと私が思うのは、前述した自治体の長や政権幹部が企画展のあり方や内容に文句をつけた際、企画展を攻撃する側の問題点にまったく言及していない点である。すでに脅迫めいた抗議などが殺到していたのに、行きすぎた抗議や脅迫は許されないとか、冷静な議論を呼びかけるとか、そうした趣旨の言葉を一切発していない。

だからこそ、企画展を攻撃する側は公儀公認を得たとばかりに勢いづき、エスカレートしたのではないか。だとすれば今回の事態は為政者らによる一種の「白色テロ」。実行犯は直接の攻撃者だが、公権力が芸術や表現に介入したばかりか、攻撃を煽って恥じぬところに事態の絶望的な深刻さがある。

2019年09月01日

警察支配

初代の国家安全保障局長だった谷内正太郎氏が退き、後任に北村滋氏が就いたという。同局は現政権で新設された日本版ＮＳＣ（国家安全保障会議）の事務局であり、内閣法によれば、「外交政策及び防衛政策の基本方針」などに関する事務を司る。あらゆる面で〝官邸支配〟が強まった昨今、外交や防衛政策における枢要な職なのは間違いない。

初代局長の谷内氏は外務省出身で、条約局長や総合外交政策局長、外務事務次官などを歴任し、２０１４年の同局新設と同時に局長となった。一方の北村氏は警察官僚である。しかも警察庁警備局の警備課長、外事情報部長など警備公安部門を一貫して歩み、11年から内閣情報調査室を統べる内閣情報官に就いた。日々の首相動静を眺めれば、ほぼ毎日首相と会う間柄でもあるらしい。

だからこその抜擢となったのだが、戦後の警備公安警察出身者に「外交及び防衛政策」などを幅広く担えるか、私は首をひねる。実際、警察官僚が政権中枢にこれほど深々と突き刺さったのは過去、田中角栄政権で官房副長官を務めた故・後藤田正晴氏ぐらいしか例がない。

官僚出身者が就く事務担当の官房副長官は、官邸で各省庁の調整などにあたり、いわば霞が関全体を睥睨（へいげい）する官僚機構のトップである。この職を警察出身者が務めること自体、あまり多くはなく、後藤田氏がそれをこなしたのは、氏の能力に加え、もともとは戦前の内務官僚だった氏に官僚世界全般への知見があったことも大きかったろう。

その事務担当の官房副長官にも現在は警察官僚出身の杉田和博氏が就いている。警察庁で警備局長などを務めた杉田氏もまた警備公安畑を主に歩み、内閣情報官などを経て官房副長官となった。

かつて警察取材をそれなりにこなした私の懐古的な感覚で言えば、警察官僚の頂点は警察庁長官であり、それに首都警察トップの警視総監が続く。巡査からはじまる警察官としての階級で言えば、警視総監こそがトップの階級だと最重視する風潮すらあった。

しかし、いまやそれも過去の話らしい。現政権は経産官僚とともに警察官僚――それも警備公安畑の出身者が中枢で支え、政治に直接的な影響力を行使し、特定秘密保護法や共謀罪といった治安法を次々と手にした。少し前に好事家の間で話題となり、警察関係者が書いたとされる『官邸ポリス』（講談社）がこうした警察官僚を稚拙な筆でことさら持ち上げ、他方で異例のヒットとなった映画『新聞記者』が内調の活動をかなり謀略的に描き出した。

いずれも誇大妄想的か少々マンガチックすぎる印象を私は抱いたが、一種の情報機関であり治安組織である警備公安部門の警察官僚が政治の中枢に刺さり、外交や防衛の基本政策まで司るのは戦後日本に初めて現出した情景であり、現政権の危うくてキナ臭い本質を見事に映し出している。

半島と沖縄

2019年09月29日

私は以前、沖縄紙からの依頼で次のような趣旨の文章を書いたことがある。戦後日本は巨大な矛盾を周縁部に押しつけ、時には周縁部の苦悩をエネルギーにすらして繁栄を貪り食ってきたのではないか、と。

例えば欧州では敗戦国ドイツが東西に分断され、半世紀近くを経て統一を成し遂げ、周辺国との和解もそれなりに果たした。他方、アジアでは植民地支配から解放された朝鮮半島が南北に分断され、いまもその状態が続いている。しかも1950年代には半島全域を戦場に変えた朝鮮戦争が勃発し、戦後日本はそれを高度経済成長の跳躍台とした。

また、戦後日本は日米安保体制こそが安全保障の基軸だと位置づけ、政治もそれを当然視してきたが、最大の負の側面である在日米軍基地は沖縄に集約し、本土からはほぼ不可視のものとしてきた。この点も首都ソウルなどに巨大な米軍基地を抱えた韓国と大きく異なる。戦後日本が巨大な矛盾を周縁部に押しつけ、繁栄の果実だけを貪り食ってきたのではないか、と私が書いた理由はそこにあった。ここでいう周縁とはもちろん、本土から見た場合の「周縁」にすぎない。

さて、ここからが今回の本題なのだが、巨大な矛盾を押しつけられてきた側がいま、そろって私たちに抵抗の声を突きつけているのをどう捉えるべきか。果たしてこれは偶然だろうか。周知のように沖縄では、名護市辺野古への新たな米軍基地建設に反対する民意が何度も示され、「オール沖縄」勢力の支援を受けた知事が断固阻止すると訴えている。韓国では、日本政府による半導体材料の輸出管理強化を「歴史問題への報復」と捉え、青瓦台（大統領府）が中心となって日本批判をますます強めている。

だが、日本の現政権の態度はひどく冷たく、ひどく傲慢である。沖縄に対しては、完成の目処もない基地建設を「粛々」と進めると言って民意を一顧だにせず、強硬姿勢をあらためる気配は微塵もない。しかも政権の提灯持ちは「沖縄の新聞を潰せ」などと放言し、まつろわぬ沖縄に心ない言葉を浴びせている。韓国に対しては、元徴用工問題などは「解決済み」と繰り返すだけで、多くのメディアまでが「嫌韓」の風潮をひたすら煽っている。

ひるがえってみれば、すべて戦後日本に一貫していたことではある。ただ、かつては少しだけ様相が違った。矛盾を周縁部に押しつけていることを多少なりとも自覚し、押しつけられた側の痛みや怒りに多少なりとも想いを寄せ、そこに至る歴史や加害に関する知識と自責の念を多少なりとも抱いてはいた。

しかし、最近は変わった。特に現政権は自覚や自責といった最低限の矜持すら放り捨て、健忘と傲慢に振る舞う自らを恥じる様子もない。だから周縁部がそろって抵抗の声を上げている。つまり偶然でなく必然。そうした政権を戴いている私たちは、周縁部に罵りの言葉を浴びせる者たちの跋扈（ばっこ）を含め、最低限の矜持すら失ったこの国の現状に全力で抗（あらが）いつづけるしかない。

２０１９年10月06日

池内紀さん

三つ子の魂百まで、などという戯言（ざれごと）の類いは信じないが、これは私が信州・諏訪で幼少期を過ごしたせいかと訝っている。諏訪は古来、温泉が豊富に湧く地で、天然温泉の共同湯があちこちにあった。月にいくらかの額を納めれば鍵を渡され、いつでも自由に入れる仕組みがあって、仕事終わりの父に必ず連れていかれた。当時の小さな借家に風呂があったかは定かでないが、家の風呂に入った記憶はなく、幼少期は毎日かけ流しの湯に放り込まれて遊んでいた。

そのせいで温泉好きになった、というのはこじつけだが、根っからの温泉好きなのは間違いなく、いまも仕事で各地に出張すれば、わずかでも時間をひねり出してその地の湯に身を浸す。正直に記すのは少し恥ずかしいが、だから池内紀さんの文章に触れたのも、何かの雑誌に掲載された温泉エッセイが最初だった。もうずいぶん前のことで、その文章に魅了された。洒脱で、知的で、単なる温泉ガイドなどとはまったく違う。時には紹介されているのがどこの温泉かわからぬことさえあって、でもとても魅力的な文章で描かれた湯に浸りたくて、その場所を突き止めようとしたこともある。

もちろん、池内さんの本業がドイツ文学者であり、カフカの翻訳者であることなどは知っていた。定年前に教壇を離れ、筆一本で紡いだ膨大な著作、翻訳のすべては網羅できなくとも、池内作品を乱読し、戦前ドイツの作家、批評家、ジャーナリストでもあるカール・クラウスを紹介した『カール・クラウス　闇にひとつ炬火あり』を読んだのは確か学生時代、この生業に就くひとつのきっかけにもなった。

いま仕事場の書棚を眺めると、『カフカ小説全集』やカント『永遠平和のために』といった翻訳から『闘う文豪とナチス・ドイツ』や『きょうもまた好奇心散歩』といった著作や軽妙なエッセイ集に至るまで、幾冊もの池内作品が並んでいる。ずいぶん影響を受けたし、異才の画家・辻まことの存在なども池内作品で教えられた。

その池内さんが先日、世を去った。残念ながら親しく謦咳に接する機会はなく、なんとかお目にかかる努力をしなかった己を悔いつつ、池内さんの自伝的回想録『記憶の海辺』を再読していたら、以前読んだ時に印象的だったのだろう、次のような一文に傍線が引かれているのに目を引かれた。ドイツの作家ギュンター・グラスが自伝『玉ねぎの皮をむきながら』で、幼年兵時代にナチス武装親衛隊に所属していたことを告白し、大きな衝撃と波紋を引き起こしたことをめぐる池内さんの感慨である。

「議論して歴史を正確に見返すこと。言葉は売り逃げの商品ではなく、真実に立ちもどるための道具であることを（略）メディアに確認させる。それこそ作者が沈黙の罪の償いとみなしたふしがあった」

ものを書く者にとって最も大切な矜持を、現在こそかみしめるべき大事な戒めを、凝縮したような一文だと思う。仰ぐべき知識人がまた一人逝った。

２０１９年11月24日

またも嘘

首相主催「桜を見る会」の私物化問題への批判が一挙に燃え広がった。古くから続いてきた行事ではあるが、現政権の下で招待者数も費用も急膨張し、首相の地元後援者らが観光ツアー仕立てで約８５０人も招待されていたと聞けば批判が強まるのは必定であろう。同じことを政治家個人としてやれば明々白々たる公選法違反だというのに、公金で開催する行事にかこつけて地元後援者を供応していた形になるうえ、交通費や事前宴会などの費用すべてを８５０人の参加者全員が正当に支払っていたか否か。

ここに齟齬（そご）があれば法に抵触してさらに大炎上するだろうし、公的行事の私物化という問題の構図自体、自身の熱烈な支持者や「お友だち」に利益誘導したと批判された森友、加計学園問題などと通底する。批判の拡大を受けて政権は来年の会の中止を発表し、まるで火事になった山ごと爆破して逃げ切りを図るかのような構えだが、現政権の体質を象徴する政治問題なのは明白であろう。

と、それはそれで今後も追及しなければならないのだが、ここまでの経過で私が最も嘆息したのは次のような発言だった。今年4月の「桜を見る会」の招待者名簿を明らかにするよう衆院の委員会で野党議員が求めたのに対し、内閣府の官房長はこう語っている。

「保存期間1年未満の文書と位置づけており、会の終了後、速やかに廃棄している」

衆院の本会議では官房長官もこう言い放っている。

「招待者名簿は会の終了をもって使用目的を終えることに加え、すべて保存すれば個人情報を含んだ膨大な量の文書を管理する必要が生じることもあり、終了後、遅滞なく廃棄する取り扱いと承知してます」

よくもまあ、このような詭弁や嘘を堂々と口にできるものである。いまさら驚くような話ではない気にもなってしまうが、ここはやはり驚いておかねばならない。公金を使った行事に誰が参加したかは、単なる個人情報などという枠を超え、事前も事後も厳重にチェックされるべき公的情報。公文書管理法は公文書を「国の諸活動や歴史的事実の記録」と位置づけ、「行政が適切かつ効率的に運営」されるために必要だとうたっており、この原則に従えば、「会の終了後に遅滞なく廃棄する」ことなど許されるはずがない。

いや、それ以前の問題として、毎年恒例の公的行事の招待者名簿を廃棄してしまうことがあり得るか。一般人の社交だって同様だが、前年に年賀状を誰に送ったか、それをもとに翌年の準備にあたるもの。

なのに、このような詭弁や嘘を平然と口にし、強引に逃げ切りを図る風景が、現政権下ではすっかりと当たり前になっている。そういえば、森友学園問題では関連の公文書を「廃棄した」と嘯く背後で、役人たちは必死になって文書の改竄にいそしんでいた。今回もまた、躍起になって文書をシュレッダーにかけ、パソコンから削除しているのだろうか。

2019年12月01日

歴史法廷の証拠

私は民放テレビの番組で知ったのだが、最初に報じたのはＮＨＫだったらしい。首相の腹話術人形のごとき政治記者が皇室特番にまでしゃしゃり出て〝総理のご意向〟を代弁する様が見苦しい昨今のＮＨＫだが、内部には必死で抗っている記者や制作者もいるということだろう。

そのネタは、首相主催による「桜を見る会」の招待者名簿にまつわるものだった。直近の名簿は政権が「廃棄」したと強弁しているが、「桜を見る会」という行事自体は戦後間もない１９５２年から続けられていて、当時の関連文書は国立公文書館にきちんと保存されていた、というのである。しかも区分は「永久保存」。

ＮＨＫが報じたところなどによれば、１９５６年と57年は招待者名簿も残され、例えば57年の名簿には約１７５０人の肩書や実名がすべて公開されていた。招待者は政財界人にとどまらず、民生委員や保護司、引揚者団体の代表など、戦後の復興や困窮する社会を現場で支えた人びとが多数含まれていた。往時の政治、社会情勢が見事に浮かぶという意味でも極めて重要な歴史的文書であるし、最近のように首相の提灯持ちや後援者を大挙饗応（きょうおう）していたわけではないことを知れば、現政権の異様さはやはり際立つ。

と同時に複数のテレビ報道が注目したのは57年の会だった。時の首相は現首相の祖父である岸信介。ある報道番組でキャスターが「首相が慕う岸氏も公文書は残していました。ちなみに当時はシュレッダーがありませんでした」と語ったのは、なかなか見事な皮肉だった。

しかしもちろん、岸信介がそれほど立派なはずもない。戦前に革新官僚として頭角を現し、旧満州の経営にも当たった岸は、かろうじて起訴を免れたものの、戦後はA級戦犯容疑者に列せられた。その敗戦時に全国では軍や官公庁でおびただしい量の公文書が焼却され、貴重な記録が煙となって消えた。

戦犯追及を恐れてのことだったのは疑いなく、本誌で以前対談した保阪正康氏は「閣議と大本営の方針で焼却が命じられ、軍事や行政機構の末端にまで伝わった」と語ったうえでこう嘆息した。

「『天皇陛下にご迷惑をかけないため』なんていうのは逃げ口上。実際は我が身が可愛いだけの保身です」

かつてといまと、その「保身」のスケールの違いにも私は嘆息するが、公共物としての公文書を「我が身可愛さ」で焼却し、廃棄してしまう習性は、この国の政と官にまるで遺伝子のように深々と刻み込まれているのではないか。

そういえば、先ごろ世を去った元祖タカ派の元首相は「政治家は歴史法廷の被告」と語っていたらしい。私は彼にも敬意など抱かないが、この言葉自体には同意する。ただ、彼も敗戦時はエリートの海軍主計少佐であり、軍部などの公文書焼却をどう捉えていたのか。いくら「歴史法廷の被告」などと格好をつけても、その「証拠」「究明資料」となる公文書がなければ、被告を正確に裁くことなど永久にできない。

2019年12月22日

辺野古で何が起きているのか

土砂投入の強行は住民への恫喝だ

「沖縄に寄り添う」と言いつつ建設強行に猛進する政権

天気予報は〈終日曇り〉だったのに、雲の合間に太陽が燦々と輝いていた。波打つ海面に陽光が反射し、きらきら瞬いて眼に眩しい。吹く風は冷たいが、さすがは南国と言うべきか、陽が照れば寒さもさほど感じない。

２０１８年12月14日、私は早朝から沖縄・大浦湾に浮かぶ船上にいた。というより、日本政府が米軍基地建設を予定する名護市辺野古の沖合と記したほうがわかりやすいだろう。10人も乗れば満員の小さな船は、強風で海面が波打つたびに大きく揺れ、陽光にきらめく海上の先には、巨大な台船が威容を誇って碇泊(ていはく)していた。船体脇には「ＯＤＢ」――つまりは沖縄防衛局(Okinawa Defense Bureau)の3字を掲げ、台船上にはブルーシートに覆われた大量の土砂を山積みにして――。

　そのシートが間もなく取り払われ、台船上の土砂は海に投げ込まれる。先の県知事選をはじめ、幾度も反対の民意を示す沖縄に対し、「沖縄に寄り添う」と嘯きつつ建設強行に猛進する政権。この日の土砂投入は埋め立てへの具体的な第一歩であり、原状回復困難な局面に突入することを意味する。畢竟、地元の反対運動も熱を帯びる。

「違法工事はやめろー！」「土砂で海を殺すなーっ！」。沖縄防衛局が設定した規制線を示す長大なブイ（浮標）のこちら側で抗議する船に対し、ブイの向こう側では海上保安庁の船舶が無機質な警告を発し続ける。「停船中の場所は臨時制限区域のため立ち入り禁止です」「繰り返します、停船中の場所は制限区域です……」

　間隙をぬって何隻もの反対派のカヌーがブイを乗り越え、規制線の向こう側に進入していった。だが、すぐに海保の黒いゴムボートが猛スピードで接近し、黒い潜水服のダイバーが漕ぎ手を次々拘束する。巨大な台船や海保の船舶に比べれば、カヌーでの抗議はまるで笹舟の抵抗に等しかった。

　私が乗る小舟はメディアの取材船だが、その中に地元紙『沖縄タイムス』の北部報道部長・阿部岳もいた。すでに4年近く名護に駐在し、辺野古の動静を取材し続けてきた阿部に「どう思う？」と尋ねると、淡々とした表情で、しかしうんざりした気配も漂わせ、阿部からはこんな答えが返ってきた。

「建設に向けた重大局面なのは間違いありません。でも、ある意味ではタチの悪い嫌がらせというか、茶番劇でもあると思います。沖縄防衛局の幹部もオフレコでは『土砂の投入ができるならバケツ一杯でも構わない』などと言っていたそうですから」

脱法の誹りを免れない所業

確かにこの日の土砂投入は、原状回復不能な工事開始宣言とはいえ、一皮めくれば政権に確たる展望があるわけでもなく、沖縄に向けた醜悪な嫌がらせ、あるいは茶番劇にも等しいと私も感じた。その理由(わけ)は追って記すこととし、まずはこの日に海上で見聞した出来事を時系列で記録しておく。ここにも理由の片鱗が埋め込まれているからである。

午前8時31分　沖縄防衛局が県に土砂投入を通告
午前8時50分　反対派のカヌーがブイを乗り越え、海保と小競り合いも
午前9時前　土砂を積載して湾上に碇泊中の巨大台船がゆっくり動き出す
午前9時　建設予定地の北側にあたる米軍キャンプ・シュワブ沿岸に設けた「K9」護岸に台船が接岸、タラップを下ろす
午前9時10分　台船上の土砂を覆うブルーシートが取り払われはじめる

午前10時前　すべてのシートが除去され、台船上の土砂がむき出しに。政府は「鉱石の採掘等で掘り出される岩石（岩ズリ）」と説明していたが、沖縄県の赤土等流出防止条例で規制を受ける赤土が大量に混じっているように見える。反対派の抗議船も「赤土じゃないですかー！」と悲鳴をあげる

午前10時　土砂をすくう重機が台船に乗り込む

午前10時35分　大型ダンプがキャンプ・シュワブ側から次々現れ、バックで台船に乗り込みはじめる

午前10時45分　重機が土砂をダンプに移す作業を開始し、土砂を積み終えたダンプは続々と台船を離れる。向かう先は約1キロ離れた埋め立て予定地南側の「N3」護岸

午前11時　抗議の中、到着したダンプが「N3」護岸から土砂投入を開始――。

こうして辺野古の海に土砂が入り、作業は夕方まで続いた。海上では確認できなかったが、上空からのメディア映像を眺めると、青々とした海域が茶色に混濁する様が見てとれる。しかし、ここに至るまでの経過を点検すると、政権の手法は単に強引というだけでなく、反対派が言うように明らかな脱法、あるいは違法の誹りを免れない数々の所業も含まれていた。

何よりも沖縄県は昨年8月に埋め立て承認を撤回している。急逝した前知事・翁長雄志の遺志による決定だったが、これで工事は法的根拠を失い、国は本来、裁判で争うほかなかった。

なのに狡知（こうち）な政府は行政不服審査法を持ち出し、沖縄防衛局から国土交通相に撤回の効力停止を申し立てさせた。あらためて記すまでもなく、行政不服審査法は〈行政庁の違法又は不当な処分〉などから〈国民の権利利益の救済を図る〉ための制度（同法1条）である。それを国家権力たる政府・防衛省が使うなど、法の趣旨の逸脱にもほどがある。

ついでの余談として記すには重大すぎる話なのだが、行政不服審査法を悪用した沖縄防衛局による申し立ての決裁文書には、同局次長の印が押されていた。ところがこの次長、実は国交省から出向中の官僚だった。要は国交省の官僚が国交相に撤回効力の停止を申し立てたのである。心底馬鹿げた自作自演だろう。

また沖縄防衛局は今回、名護市西部の安和（あわ）という地区にある企業・琉球セメントの桟橋を使って土砂を運び出した。当初は沖縄北部の本部（もとぶ）港から搬出予定だったが、台風で一部が破損して使用不能になったことを受けた〝奇策〟であり、同社は首相の地元・山口県に本社を置く宇部興産とも密接な関係にある。私も土砂投入の前日、当該の桟橋近くを訪ねたが、いち私企業である同社の出入り口でおびただしい数の警備員が警備にあたり、周囲には軍事用の特殊鉄条網まで設置された異様な光景に目を疑った。

しかも、この桟橋使用がまた問題だらけだった。桟橋は工事完了届すら提出されておらず、沖縄県は公共用財産管理に関する県規則に反して違法だと指摘した。さらに敷地内に積んだ土砂に関する事業届け出もなく、これも県の条例に違反する疑いまで浮上した。県の指摘を受け、土砂搬出作業は一時中断されたが、琉球セメントが工事完了届を提出すると、沖縄防衛局は県規則に基づく立ち入り検査も受けぬまま、これで構わんだろうと言わんばかりに作業を強行したのである。

「抵抗しても無駄だ」と思い知らせる

問題はまだある。翁長の前任知事の仲井眞弘多(なかいまひろかず)が2013年に埋め立てを承認した際、沖縄県は条件として「留意事項」を付した。たとえば「工事の施工、実施設計については事前協議を行う」。あるいは「環境保全対策について県と協議を行う」。このいずれについても協議が行われておらず、沖縄県は「留意事項」違反だと訴えた。いずれも法的拘束力はないものの、重大な公共事業をめぐる国と県の〝約束事〟だったことを考えれば、軽々に容認されるものではないだろう。

つまりはあれも違反、これも違反、条例や規則違反、約束違反までを挙げはじめればキリがない。仮に民間業者がこのようなことを仕出かせば、行政処分を受けて業務停止に追い込まれるばかりか、警察にしょっぴかれてブタ箱に放り込まれる。それをすべて強権で突破するのだから、まさに無法者の振る舞いというしかない。

しかし、ここまで無法を押して土砂投入を強行しても、辺野古の基地が完成に至るかは見通せない。

たとえば、埋め立てに必要な土砂をどう調達するか。国の埋め立て申請書などによると、基地建設のための埋め立て面積は約160ヘクタール、必要な土砂の総量は東京ドーム約16杯分に相当する約2060万立方メートルにも達する。これだけの量を沖縄では調達できず、西日本各地から搬入予定だが、沖縄には県外からの埋め立て土砂の持ち込みに関する県条例がある。特定外来生物の侵入防止などを目的とし、持ち込みに際しては県に立ち入り検査などの権限がある。

さらに埋め立て予定地で見つかった軟弱地盤の存在は特に大きなハードルとなる。仲井眞県政が埋め立て承認を出して以降、沖縄防衛局は該当海域の地質を調査したが、海底面の地盤の強さを示す「N値」が「ゼロ」の地点が多数見つかった。これは「グズグズのマヨネーズ状の地盤」とされ、水深30メートルの海底に厚さ40メートルにわたって広がる地点もあった。

こうした軟弱地盤を埋め立てるには大規模な地盤改良が必要となり、沖縄県は地盤改良工事だけで5年はかかると試算している。建設費用が大きく膨れあがるのも必至で、特に設計概要の変更は避けて通れず、これは沖縄県知事の承認が必要となる。現知事の玉城デニーが承認しなければ、いずれ工事は暗礁に乗りあげる。

さて、そろそろ先に記した「理由」――すなわち政府の埋め立て強行が「タチの悪い嫌がらせ」、または「茶番劇」と評した理由に話を戻そう。ここまで説明した通り、土砂投入を急いでも基地建設の先行きは見通せず、政府に確たる展望があるわけではない。それでも12月14日に土砂投入を強行したのはなぜか。

まずは今年2月に沖縄県が実施予定の基地建設をめぐる県民投票である。一方で今年7月には参院選があり、沖縄では玉城の知事転出に伴う衆院補選も4月に行われる。こうした選挙への悪影響を最小限に抑えつつ、県民投票を前に有無も言わさぬ既成事実を積み重ねること。また、米国に工事の〝進展〟をアピールすること。そして何よりも「1強」政権に歯向かう沖縄を強権で屈服させ、「抵抗しても無駄だ」と思い知らせること——。すなわち「タチの悪い嫌がらせ」。同時にこれが「茶番劇」なのは、土砂投入当日の動きから垣間見える。

真の意味で沖縄に寄り添えるか

沖縄防衛局が県に土砂投入を通告したのが午前8時半。大浦湾に碇泊した台船の接岸が同9時。そして10時に重機が台船に入り、ダンプで運んだ土砂の投入開始がジャスト11時。こうしたスケジュールは事前にメディアに流され、実際にすべて段取り通りに進められた。要はなにもかもがセレモニー。青々とした海への土砂投入が大々的に報じられ、原状回復不能な局面に入ったことを知らしめ、県民のあきらめムードを醸成する。

そう考えると、政権の振る舞いは地上げ屋にも似ている。背後の強権をチラつかせ、まずは札ビラで頬を叩き、従わねば無法の暴力で威嚇する。それに怯むのか、抵抗を続けるか。土砂投入から1週間後の12月21日、私はテレビ西日本の報道特別番組に出演し、玉城デニーに生中継でインタビューする機会があった。辺野古の基地は果たしてつくられるのか、直截に問う私に玉城はこう応じた。

「今回土砂が投入された場所も、全体のほんの数%です。この先には軟弱地盤もある。これには相当なお金と時間がかかります」

——設計変更の手続きは？

「厳正に審査します。そうしたことが局面ごとにいろいろ出てきます。それを世界も見ている。沖縄だけの問題ではない。国民の皆さんに考えてほしい」

——基本的な質問ですが、辺野古基地反対でオール沖縄体制が構築された理由をどう捉えていますか。

「1995年に不幸な事件（米兵による少女暴行事件）が起きて以来、さまざまな経緯がありました。特に教科書検定（2006年度）で沖縄の集団自決の強制性が教科書から削除されそうになったことに沖縄は反発しました。沖縄を顧みない政権の、歴史修正の姿勢に猛反発したんです」

亡き翁長も同じことを言っていた。生前に長時間の取材をした際、沖縄戦をめぐる政権の史実歪曲などが「一番の分岐点」であり、それこそが「保守政治家として反対運動の先頭に立つ」きっかけになったと。そして「県民を守るためにも、日本という国に変わってもらうためにも、何としても辺野古は止める」と。

その遺志とＤＮＡを玉城が継いでいるなら、沖縄があきらめることはおそらくない。ならば本土の私たちの態度こそ問われる。果たして真の意味で「沖縄に寄り添う」ことができるか。それができるなら、仮に予報が〈終日曇り〉でも、いずれ陽光は顔をのぞかせる。あの日の大浦湾がそうだったように。

２０１９年01月20日

裏切られた沖縄を直視せよ

玉城デニー知事インタビュー「国民全員が考えてほしい」

その顔にはむしろ悲壮感が

予定の午後11時半をすぎ、時刻は午前0時をまわっていた。幾体ものシーサーが見下ろす沖縄県庁1階のロビーはひっそりと静まり返り、一角だけがテレビカメラのライトで煌々（こうこう）と照らされていた。

ある者は電話をかけ、ある者はパソコン画面をにらみ、ある者は手持ちぶさたな様子で、その一角には数十人の記者が集まっていた。この日——正確にはもう日付が変わって前日の2月24日に実施された県民投票の結果を受け、公式コメントを発するためにやってくる県知事・玉城デニーを待ち構えて。

ロビー脇のエレベーターが開き、玉城が現れたのは午前0時25分。多数のカメラの前に立った玉城は、用意したコメントをまずは読みあげた。

「今回の県民投票で辺野古埋め立てに絞った県民の民意が明確に示されました」「投票結果を受け、新基地建設の阻止に向け、あらためて全身全霊を捧げていくことを誓います」

だが、玉城の顔に笑みはなく、むしろ悲壮感を漂わせているようにすら私には見えた。理由はいくつか推測できた。

前知事・翁長雄志の遺志を継いだ玉城にとって、県民投票の結果は本来、歓迎すべきものだったろう。だが、今回は県民投票という事案の性質も考慮する必要がある。

投票日は終日雨だったうえ、自民・公明の国政与党勢力が〝ボイコット戦術〟をとったにもかかわらず、投票率は過半数超えの52・48％を記録し、うち埋め立て「反対」票は72・2％に達した。圧倒的な民意が示されたとはいえ、「賛成」「どちらでもない」に投じた県民も一定数おり、中立の立場で投票を呼びかけた知事が喜びをあらわにするわけにいかない。

また、今回の県民投票は沖縄が積極的に「実施した」のは確かにせよ、一方で「やらざるをえない」ところに追い詰められた、という側面もあるのではないかと私は感じていた。

言うまでもなく、沖縄の民意は先の県知事選、さらには亡き翁長を知事に押し上げた前々回の知事選などですでに何度も示されている。なのに現政権は「沖縄に寄り添う」と口先だけの文句を繰り返しつつ、昨年12月には辺野古の海に土砂を投入する埋め立て工事を強権的に開始した。

対する沖縄はあらゆる手段を行使して抗ってきた。翁長は知事就任後の２０１５年10月、前知事による埋め立て承認を取り消し、国と裁判闘争を展開した。急逝直前の18年8月には承認の撤回も宣言し、実際に承認は撤回された。だが、国もあらゆる手口を弄して沖縄を押さえつけ、行政による不当な権力行使に市民が抵抗する手段として整えられた行政不服審査法を使う搦手（からめて）まで繰り出し、ついには承認撤回の効力を消し去った。

本土が沖縄を追い詰めてしまった

国家権力の圧倒的なパワーを前に、もはや沖縄の対抗策は多くない。県民投票は数少ない貴重なカードであり、おそらくは最大の切り札でもある。しかし、それを切っても政権が聞く耳を持つ可能性は低い。なのに、それを切らざるをえないところにまで追い詰められた——逆に言うなら、本土の政権がそこまで沖縄を追い詰めてしまった、とも私は感じていた。

そのことを投票日の前日、私は玉城に直接問うた。県庁の応接室で単独取材に応じた玉城はこう答えた。

「県民の中にも（県民投票を）やるしかない、やらざるをえない、といろいろな感じ方はあるとは思いますが、政権が県民の意思にまったく応えようとしないのが問題の根底です。いったいなぜ、2度の知事選で民意を示したのに県民投票までやらなくてはならないか、そこを国民のみなさんに考えてほしい」

他方で政権側にも確たる展望があるわけではない。いや、県民投票にまで沖縄を追い詰めてしまったことで、展望は一層絶望的なほどに失われ、政権側もまた追い詰められた、と捉えるべきだろう。

あらためて今回の投票結果を眺めれば、52・48％の投票率のうち埋め立てに「賛成」は18・99％、「どちらでもない」8・70％、そして「反対」は71・74％。この結果を政権寄りの一部の全国紙は〈投票率52％　広がり欠く〉などという見出しで報じたが、物事の本質を歪めるのはいい加減にしたほうがいい。現政権が〝圧勝〟した17年総選挙での全国投票率が約53％だったことを思えば、これでは政権の正統性に疑問符がつくという理屈だって成り立ってしまう。

しかも共同通信が実施した県民投票の出口調査によると、野党支持層では「反対」がほぼ100％だったのは当然として、無党派層で「反対」が約83％、公明支持層でも54・8％、自民支持層ですら「反対」が「賛成」を10％近く上回った。県内の全市町村でも「反対」が多数を占め、どの角度から見ても埋め立て反対が圧倒的民意として表明された。

また、今回の県民投票条例では、多数票が有権者数の4分の1（約29万票）を上回れば県知事が首相と米大統領に結果を通知すると定められたが、「反対」はこれを軽々と超える約43万票に達した。同時にこの票数は先の県知事選での玉城の得票数（約39万票）も、亡き翁長が前々知事の仲井眞弘多を破った際の得票数（約36万票）も上回っている。

この意味するところは大きい。知事選の得票数を上回る「反対」が示された以上、知事としての玉城は徹底抗戦する以外に道はない。これも逆に言うなら、県民投票の実施にまで沖縄を追い詰めたことで、政権が知事と何らかの交渉をする余地は失われた。ならば政権が取りうる選択肢は二つ。埋め立てを中止して基地建設を断念するか、沖縄の民意を無視して突き進むか。県民投票の直前にも埋め立て方針に変更はない、と官房長官が公言した厚顔な政権は、間違いなく後者の道を選択するだろう。

だが、それも茨の道である。最近ようやく全国レベルでも報道されるようになったが、埋め立て予定海域の軟弱地盤層は予想以上の規模で広がり、途轍もない難工事になるのが必至の見通しだからである。

政権の、トランプ大統領へのアピール

沖縄の地元紙、琉球新報と沖縄タイムスが2月初めから報じているところによれば、埋め立て予定地のうち大浦湾側に広がる軟弱地盤の深さは当初、海水面から70メートルほどとされていたが、沖縄防衛局があらためてボーリング調査したところ、最深部は海水面から90メートルに達していることが判明した。

一般的なビルで20階建て以上の高さに等しく、軟弱地盤層に砂の杭を大量に打ち込んで地盤

改良を施す必要があるのだが、実は90メートルもの深さの類似工事は国内で前例がない。そもそも90メートルの砂杭を打ち込める作業船が国内に存在しない。

仮に最新技術を総動員して工事を可能にしたとしても、その規模と工期、そして工費の大幅膨張は避けられない。そして必要な砂杭の総数は合計で7万6000本超、使用される砂の量は東京ドームなら5杯分以上にも匹敵する。

沖縄県はすでに独自試算として工費が2兆5500億円、工期は13年以上も延びると指摘しているが、これは深度90メートルの軟弱地盤が判明する以前の数字だから、工費がさらに膨れあがるのは必至だろう。また、大規模な地盤改良には設計変更が必須で、そのためには沖縄県知事の承認が必要となり、残り任期を4年近く残す玉城が承認を拒めば、いずれ工事は行き詰まる。

そう、はっきり記してしまえば、普天間の代替施設としての辺野古新基地など、いくら政権が無理強いしても完成しない。この点も取材時に問うと、玉城は率直にこう語った。

「ええ、できないと思います。それはもうわかっている。だから埋め立て工事も本来は（深度のある）大浦湾側から進める予定だったのに、調査した結果、さらなる地盤改良や技術が必要だということで辺野古側から埋め立てた。その浅瀬はジュゴンの餌場という貴重な海域なんですが」

――なのに工事を強行する政権の意図をどうみていますか。

「私たちはやりますという対米アピール、特にトランプ大統領へのアピールでしょう」

――と同時に、沖縄に対する強烈な恫喝ともいえる。

「ええ。国内向けとしてはそれが大きいでしょう」

もはや不可能に近い新基地建設を、米国へのお追従と沖縄への恫喝のため強行する政権。対する沖縄は、県民投票という貴重なカードを切った。そして再度示された圧倒的な民意。案の定、それでも政権は耳を傾けない。暗澹たる思いになるだけの現状だが、県民投票取材で唯一の希望は、沖縄に新たな政治の萌芽を見たことだった。


今回、基地建設反対派の中にも慎重論のあった県民投票の推進力になったのは、投票実施を求めて署名集めに乗り出した若者たちだった。中心人物は元山仁士郎である。28歳の元山は大学院を休学して故郷・沖縄に戻り、「『辺野古』県民投票の会」を立ちあげて署名集めに奔走した。それが9万筆を超え、最終的には県議会も動いた。

もはや民主主義ではなく暴政だ

おそらくは政権の意を受けたのだろう、5市長が投票への不参加を表明した際は、元山がハンストに入った。ネットや本土の一部メディアはこれに嘲笑を浴びせたが、沖縄の各所で話を聞けば、選択肢を「賛成」「反対」「どちらでもない」の3択にする条件で5市が投票参加に至ったのは、ハンストも明らかな影響を与えていた。その元山を投票日に訪ねると、特に気負った様子もなくこう話した。

「僕たちは、できることを今後もやるだけです。でも、それを聞こうとしないのは政府だけでしょうか。自分はどうか、自分の周りはどうか、みなさんに考えてほしい」

やんわりとした物言いではあるが、本土の私たちへの強烈なメッセージである。こういうことをあっさりと口にできる元山の政治センスは、投票終了後にメディア記者に囲まれて会見した際も発揮された。沖縄で若者がハンストに入ったことへの見解を会見で問われた官房長官が「その人に聞いてくれ」と一蹴したことをどう思うか――そう記者に尋ねられた元山は、間髪入れずにこう答えた。

「ご本人に聞いてください」

つまりは官房長官その人に聞いてくれ――。会見場に笑いが広がり、元山はすぐ、こうもつけたした。

「ただ、ものすごく冷酷だなとは思います」

確かにそうだと私も頷いた。まして基地建設反対を明確に訴える人びとは冷酷な政権への憤りを一層募らせている。沖縄経済界の重鎮で、翁長県政も支えた金秀グループの会長・呉屋守将は、穏やかな口調ながら、ここまで言うのだった。

「今回の県民投票は、確かにやらざるをえなくなった、という面はあります。でも、ここまで示された民意を重んじないで何を重んじるんですか。これでも（政権が）聞かないなら、辺野古だけではなく、普天間も嘉手納も全部取っ払い、ゼロベースで話をしましょうよ。そこまで私は思いはじめていますよ」

再び沖縄県庁の応接室。インタビューの最後に玉城はこうも訴えている。

「国民の意思確認を何度やっても意味がないなら、そんな民主主義国家が成立するのですか。それはもはや暴政です。だから国民全員が考えてほしい。なぜ沖縄が県民投票で意思を示さなければいけないのか。なぜ示す必要があるのか。立場が変われば、これはみなさんにも降りかかる問題です。政府がやると言っているから仕方ないというなら民主主義の放棄ですよ。少なくとも沖縄県民は民主主義を絶対に放棄しない。それがこの県民投票に込められた強い思いでもあります」

国政与党が無視を決め込み、雨が降りしきる中でも断固民意を示した沖縄県民に、私は心からの敬意を覚える。となれば当然、問われるのは本土の私たちである。もちろん、一人ひとりに取れる行動には限りはあれ、やはり選択肢は二つしかない。暴政を振るう政権を支持するのかしないのか。前者なら冷酷な暴政の片棒を担ぎ、同時に民主主義を放棄することになる。

２０１９年03月17日

原発という化け物

1

福島県の飯舘村でこの原稿を書いている。福島第1原発の事故によって大量の放射性物質が降り注いだこの村にはもう何年か通い、いずれ一冊のルポルタージュをまとめるつもりなのだが、すっかり親しく接してくれるようになった村民が今回の取材行でそろって口にしたのは、東京地裁が先ごろ東京電力の旧経営陣に無罪判決を言い渡した件だった。

業務上過失致死傷罪に問われた東電の勝俣恒久元会長、武黒一郎元副社長、武藤栄元副社長の3人に対する判決公判があったのは9月19日。さかしげに記せば、無罪はおおよそ予想された判決ではあった。

国家が人に刑事罰を科すことになる刑事裁判は、民事裁判などより一層厳格な事実立証が求められるうえ、今回は検察が起訴を見送ったことを受けて検察審査会の判断で強制起訴された案件である。一般市民が刑事司法に参画し、〝民意〟によって刑事責任を問う検察審査会と強制起訴制度の重要性はもちろん否定しないが、検察がさまざまな思惑や打算から起訴できないと判断した案件を、裁判所が選んだ検察官役の指定弁護士が有罪に持ち込める見込みはもともと薄い。事実、検察審査会による強制起訴制度が導入されて約10年が経った現在に至るまで、強制起訴によって有罪となったのは2件2人にとどまっている。

だが……とあらためて思う。人類史でも未曽有の原発厄災がもたらしたあまりに巨大な被害を前にしたとき、こう書けば陳腐な表現になるかもしれないが、責任の所在をあいまいにした無罪判決は、どう考えても釈然としない。村を広範に汚染された飯舘でも、私が知る村民は誰もがそのことへの憤懣をあらわにした。

もちろん、飯舘村に限った話ではない。事故の被害全体を俯瞰すれば、数万、数十万もの人びとが住居や故郷、仕事や人間関係を奪われた。事故から8年経った現在も避難者数は約5万人。被害を金銭に換算すれば数兆か数十兆円か、あるいはそれ以上か。しかも今後、数十年の単位で廃炉や除染といった作業に向き合う気の遠くなるような後始末が待ち構える。

比較するのが適切かはともかく、世を騒がせた一般的な凶悪事件なら、被害者の峻烈（しゅんれつ）な処罰感情に世論やメディアが寄り添い、加害者は確実に刑事罰が科せられる。最近問題化した「あおり運転」などは、世論やメディアの憤激に背を押された捜査当局が「あらゆる法令」を縦横に駆使し、果たしてそれが妥当か疑わしい刑事罰が加害者に科せられる。それに比べ……と思うのは決して無茶な暴論ではないだろう。

しかも東京地裁は今回、原発事故のリスクについて「絶対的安全性の確保までを前提としてはいなかった」と言及した。ならばせめて教訓だけは共有せねばならない。政府や電力会社が各地で再稼働を目論む原発は安全でもなんでもなく、もし事故が起きて甚大な被害を振りまいても誰ひとり責任を取らない化け物なのだという教訓を。

2

飯舘村から帰京すると今度は関西電力経営陣の金品授受問題である。関電の原発を抱える福井県高浜町の元助役から経営陣が億単位の金品を受けていた件の詳細は、いまも各メディアが報道を続けているからここで記さない。だが、飯舘の知人たちはもとより、事故被害にあえぐ多くの人びとが深く嘆息し、心底憤っているだろう。

東電が福島の事故を引き起こして以降、関電は電力業界での存在感を高め、業界団体である電気事業連合会（電事連）会長にも関電社長が就いている。この電事連がメディア業界にはなかなか厄介な存在で、特に原発関連については各メディアの報道をことこまかにチェックし、猛烈な勢いで抗議を入れる強面（こわもて）ぶりで知られていた。

私自身、あるラジオ番組での原発批判が逆鱗（げきりん）に触れたらしく、凄まじい抗議を受けた番組スタッフが対応に苦慮するのを申し訳なく思った経験がある。こうした振る舞いに加え、巨額の広告費が流れ込んだことで原発批判はタブー化し、いわゆる原発ムラをのさばらせ、安全神話などが形作られてしまうことにもなった。メディア側の罪も深く重い。

かんぽ生命保険の不正販売問題についても、似たようなことが言えるらしい。日本郵政グループの一角を占める極めて公共的な組織だというのに、高齢者を欺くような不正契約が横行していたモラル腐敗についての詳細は省く。ただ、違法性などが疑われる契約はすでに数千に達し、この問題をいち早く報じたNHKにグループが猛抗議を加えていたことも判明した。

しかも、あろうことかNHKもこれに屈し、続報を取りやめたうえ、NHKの最高意思決定機関である経営委員会がNHK会長を密かに厳重注意していた。ここにきて新たに報じられたところによれば、放送部門トップの放送総局長がグループ側に出向いて事実上の謝罪文も手渡していたらしい。

メディア業界でそれなりに禄を食んできた経験から言うのだが、メディア側がここまで全面屈服するのは、報道内容によほどの瑕疵があったか、よほど強力な筋から圧力がかかった場合ぐらいしか考えられない。報道内容は正しかったのだから、今回は明らかに後者だろう。日本郵政グループには放送行政を司る総務官僚が天下っており、その筋からの強烈な圧力が異例の屈服につながったとみるしかなく、闇はなお暗く深い。

それにしても、電力会社にせよ、日本郵政にせよ、この国を代表する公的組織の頽廃と傲慢ぶりをどう表すべきか。少し前、私は毎日新聞のコラムで「悪いことをしている連中ほどよく吠えるというか、居丈高に批判を押さえ込もうとする」と書いたが、それにメディアまでが屈してしまえばもはや救いがない。頽廃は極に達し、傲慢は際限なく社会にのさばる。いや、すでに相当のさばらせてしまっている。

3

その後、関西電力の会長は辞任した。だが、死人に口なしという警句を地でいくかのように、経営陣はまるで被害者ヅラである。今年3月に世を去った福井県高浜町の元助役を悪人に仕立て、自らはその恫喝や威嚇に怯える羊のような存在であって、欲しくもない金品を押しつけられて迷惑千万だったかのようなふりをして。

関電が先ごろようやく公表した昨年9月11日付の社内調査報告書を読んでみたが、そうしたトーンは終始一貫している。例えばこんな一文。「原子力発電所の安定的な運営のためには、M氏（原文は実名、元助役のこと）の機嫌を損ねて関係を悪化させるのは極力避けたいという気持ちをもっていたことから、苦痛・恐怖・緊張を感じながらも、抗議を控え、M氏の機嫌を損ねないように慎重に対応していた」

確かに元助役は、地元の奇怪な実力者だったらしい。一部で報じられたように、かつてさまざまな運動団体に関わり、その威光なども振りかざし、自ら甘い汁を吸いつつ地元に君臨していたというのも事実なのかもしれない。

だが、原子力発電という巨大装置を展開するにあたり、そうしたものすべてを利用してきたのが電力会社ではなかったのか。

いまさら記すまでもなく、原発の立地点に選ばれるのは大半が過疎や貧困に喘ぐ地域であった。そこに原発を建設するにあたっては、利権の気配にさとい政治家や企業が早くから暗躍し、土地買い占めや地上げなどが横行し、要はカネこそが地元対策における最大の武器。表では電源三法に基づく交付金などが自治体に投下され、裏では買収饗応、怪しげなカネが盛んに行き交い、その過程ではヤクザだろうがフィクサーだろうが、あらゆる輩が動員されて地元の反対運動などを押しつぶしていく。

通信社の記者として新潟に駐在していた折、そうした原発事業の黒々とした実態をイヤというほど見聞きした。それをいまになって被害者ヅラとは、仮に関電経営陣の弁明が本心からだとするなら、背後に黒々とした勢力まで抱え込んで成立してきた原発という怪物の主として、自らにその能力と資格がなかったと宣言したに等しい——そう書けば皮肉にすぎるか。

いずれにせよ、原発という巨大な発電装置が一方で巨大な利権装置でもあるという事実を、今回の一件は見事なまでに浮き彫りにした。しかも福島第1原発の事故をめぐる強制起訴裁判では、東京地裁が原発を「絶対的安全性の確保まで前提としていなかった」として東京電力の旧経営陣に無罪を言い渡したばかりであり、先に私は、せめてここから教訓だけは引き出そうと書いた。原発は断じて「安全」などではなく、事故が起きても誰も責任を取らぬ化け物なのだという教訓を、と。今回、さらに教訓を追加せねばならない。原発とは同時に巨大な利権装置であり、関係者は誰もが甘い汁の恩恵にありつくが、いざとなるとその責任も地元に押しつけ、電力会社は被害者ヅラで逃げを打つ、と。

２０１９年10月13日〜10月27日

2020年

圧政の餌

真面目くさって政権の問題点や矛盾を指摘することが、もはや虚しいというか、あまりにバカバカしくて恥ずかしみさえ覚えるようになっている。ひょっとすると、政権の主たちはそれを狙っているのではないか、とすら訝る。これだけバカバカしい恥知らずぶりを見せつければ、それに批判を加える者たちも同じレベルに引きずりおろされ、多少なりとも恥の感覚を持っている者なら諦めの境地に達して眼を背けてくれるのではないか、と。

「桜を見る会」をめぐる数々の疑惑は、なにもかも知らぬ存ぜぬ証拠も出さず説明もせず、ひたすら逃げ回って鎮火を待つ算段。「逃げるは恥だが役に立つ」というタイトルのテレビドラマが少し前に流行り、私は観ていないので内容を知らないのだが、そのタイトルを地でいくかのような態度はもはや現政権のお家芸である。「私人」だと閣議決定した首相の妻に政府行事の「招待枠」があったとか、自ら定めた「反社会的勢力の定義」は「一義的に定まっていない」とか、挙げ句の果てに「お困りの方は警察に相談を」などと言い放つさまは、つまらぬコントよりよほどバカバカしく、もはやその面を指さして大笑いするしかない。わはは、お前それ本気で言ってんのかよ、と。

なのに首相は最近、ある講演で「政策論争以外の話に多くの審議時間が割かれた」ことを「申し訳なく思う」などと〝謝罪〟したらしい。ではその「政策」はどうか。文部科学相が「身の丈」発言で自ら発火させた大学入学共通テストをめぐる騒動は、英語民間試験の導入見送りに続き、国語と数学の記述式問題も導入見送りに追い込まれた。民間活用などという美名の下、教育産業に利権をバラまくのが実態に近く、少し考えれば誰が見ても無理筋の策だったのだから至極当然、なのに誰ひとり政治責任を取ろうとしない。

今朝の新聞を眺めれば、世界経済フォーラムが発表した「ジェンダーギャップ報告書２０２０」で、この国の順位は対象１５３カ国中の１２１位に転落し、過去最低を記録したという。「女性活躍」だとか「多様性」だとか、いくら美辞麗句の「政策スローガン」を並べ立てても、政権の主やその追従者は「伝統的家族」なる妄想に取り憑かれた面々ばかりなのだから、これもまた至極当然、似たような例は枚挙にいとまがない。

類は友を呼ぶというか、政権の主の態度に周辺も倣っているのか、就任直後に金銭スキャンダルで辞任に追い込まれた複数の元閣僚も「逃げるは恥だが役に立つ」路線を決め込み、姿をくらましたまま行方がしれない。こんなバカバカしい政権に紙礫（かみつぶて）を投げる徒労など放り投げ、年末年始はどこか居心地のいい温泉地にでもこもり、浮世の憂さを洗い流してこちらも知らぬ存ぜぬを決め込みたくなる。

だが、諦観と無関心が圧政の餌になるのは歴史が教えるところ、いかにバカげた政権でも引き続き紙礫を投げ続けるしかない。

共犯者

2020年01月12日

日産自動車のカルロス・ゴーン前会長がレバノンに逃げた。逃げられた日本では、新聞にも、テレビにも、およそ大半のマスメディアに「怒り」が横溢している。「日本の刑事司法の基盤を揺るがしかねない」（毎日新聞1月5日社説）、「法廷で堂々と無罪を訴えるべきである」（同1月10日社説）、「法秩序を踏みにじる行為であり、断じて許されるものではない」（朝日新聞1月7日社説）、「主張したいことがあるのなら、日本に戻り、公開の法廷で正々堂々と語るべきだ」（読売新聞1月10日社説）。

しかし、世界のメディアの見方はずいぶんと違う。ゴーン前会長自身やその逃亡を難ずる報道ももちろんあるが、一方でゴーン前会長の訴えに一定の共感を寄せ、日本の刑事司法を問題視する報道も数多い。そのことへの苛立ちも日本メディアには滲んでいる。

「前会長の逃亡が発覚した当初、（略）法相がコメントを出すまでに5日を要した。その間に海外メディアは日本の刑事司法を疑問視した。対応が遅れたといわざるを得ない」（毎日新聞1

月10日社説）

果たしてそうか。「対応が遅れた」から「海外メディアは日本の刑事司法を疑問視した」のか。否、そうではあるまい。カネにものをいわせた前会長の逃亡に腹をたて、これをいくら難じようとも、事実としてこの国の刑事司法に数々の悪弊がへばりついていて、だからこそ前会長の事件や逃亡を契機としてそこに国際的な視線が集まった――それが正確な記述であり、物事の本質をねじ曲げてはいけない。

その数々の悪弊について私は、本コラムでも繰り返し指摘してきた。前会長の事件で国際的批判にさらされた「人質司法」、警察に逮捕されると警察のブタ箱に放り込まれる「代用監獄」、弁護士の立ち会いすら許さないまま長期に及ぶ「密室での取り調べ」、ひどく閉鎖的な刑事収容施設という名の「監獄」、強大な権限を駆使して集めたのに警察や検察が独占してしまう「証拠の非開示」、裁判が検察の追認機関に堕していることを示す有罪率「99％超」、国際潮流に背を向けて固執する「死刑」――国際的な人権基準を逸脱した悪弊はあまりに多い。

あれは数年前のこと、国連の拷問禁止委員会による審査で日本の刑事司法はまるで「中世」のようだと指摘された。これに対し、「人権人道担当」だという日本の大使は「日本は最も先進的な国の一つだ」と反論して開き直った。瞬間、議場には失笑が広がり、いきり立った大使は「なぜ笑っているのか。笑うな、シャラップ、シャラップ！」と叫んで出席者を唖然とさせた。

今回のゴーン前会長の逃亡劇に「怒り」のみを噴出させているメディア報道を眺めていると、外部からの冷ややかな視線に「シャラップ」といきり立つ大使の姿が重なる。だが、それも詮無いことか。自戒を込めて記せば、警察や検察に夥しい数の記者を張りつけて事件報道に狂奔してきた日本のメディアは、数々の悪弊を温存させてきた〝共犯者〟でもあるのだから。

2020年02月02日

無恥

何年か前に現首相の生い立ちやルーツを取材した際のこと、大学時代の首相に「政治学史」を教えた碩学の証言はいまも印象に残っている。その証言者――成蹊大法学部で長く教鞭をとった加藤節・同大名誉教授は、現政権の特質は「ふたつのムチ」にあると断言した。まずは「ignorant」の意味での「無知」、そして「shameless」の意味での「無恥」。

かつての教え子が率いる政権を評する師の言葉としては強烈だと驚き、証言の詳細は拙著『安倍三代』（現在は朝日文庫所収）で紹介した。憲法改正を目指すと嘯きつつも憲法学の泰斗だった故・芦部信喜すら「知らない」と公言する「無知」に加え、「無恥」が特質だと喝破した師の証言は実に的確だったなと、いまあらためて痛感させられている。

首相の熱心な支持者や「腹心の友」に露骨な利益誘導を図り、それが問題化すると公文書が改竄され、勇気ある告発者には醜悪な攻撃まで加えた森友・加計学園問題。その歪みを凝縮し、さらに低劣化させたような「桜を見る会」をめぐる諸問題では、首相や政権幹部が一層無惨な言動を繰り返している。

誰が聞いてもすぐにわかる嘘、詭弁、ごまかし、責任転嫁。それ自体がそもそも嘘ではないかと疑われる招待者名簿の「廃棄」にはじまり、「廃棄」の時期が野党議員の資料請求直後だったのは「偶然」、詐欺的商法が問題化した会社の元会長の参加は「個人情報だから明かせない」、後援者を饗応したパーティ明細書は「ない」、「反社会的勢力」は「一義的に定義できない」。

今国会でも同じような醜態は続く。名簿の廃棄は「民主党政権時代から」、物事の些事にすぎない野党議員のミスをあげつらって「デマを正せ」、揚げ句の果てには「募りはしたが募集はしていない」。

もうほとんど出ないため息を吐きつつ、この政権の主はやはり「無恥」だとつくづく思う。「恥」の概念が多少なりともあれば、これほど無惨な嘘、詭弁、ごまかし、責任転嫁を連発できるものではない。ただ一つ、それなりに合理的な理由があるとすれば、ひたすら政権を維持するため。

だが、権力を維持し、いったい何を成したいのか。改憲？　レガシー作り？　憲政史上最長政権？　本心など知らないし、知りたくもないが、これもただ一つ、皮肉を込めつつ断言できることはある。

この政権は、強い。「恥」の概念自体がないのだから、あらゆる批判は中枢に刺さらない。いくら醜態を晒しても平気の平左、顔を赤らめることもなく嘘や詭弁、ごまかしや責任転嫁ですべての批判をなぎ倒すことができる。いつしか批判者は疲れ、いつまで同じことをやっているのかと批判者が批判され、あらゆる批判が無効化されていく。権力の周辺で甘い蜜にありつく者たちにとって、これほど有難い政権はないだろう。担いでいるのは「無知」で「無恥」な神輿。ある意味で「無敵」。さて、それとどう対峙するか、かなり厄介な問題である。

２０２０年02月16日

権力は悪

東京高検検事長の〝定年延長〟問題を考えるとき、常に念頭に置いておくべきなのは、検察を「正義の機関」などと決して捉えないこと。本コラムでは幾度も記してきたが、検察をはじめとするこの国の刑事司法は根深い悪弊をいくつも抱えていて、検察やその捜査のありようを含む刑事司法システムをめぐる論議はタブーでもなんでもなく、本来ならむしろ政治が積極関与し、悪弊の改善を進める必要がある。

だが、検察組織はこれまで巧妙に立ち回り、自らに不利な刑事司法改革の動きを骨抜きにしてきた。あえて皮肉まじりに記せば、政権の〝お気に入り〟らしき検事長は、検察内でその先兵となってきた政治との〝窓口役〟。要するに政治が「悪」なら検察だって「悪」であり、およそ権力などはすべてそういう質のものと捉えねばならない。

少し考えればそれも当然の話であって、選挙によって選ばれる政治家にせよ、司法試験をパスして任官する検察官にせよ、そのほか大小すべての権力を行使する者たちにしても、所詮は私たちと同じく不完全な人間である。時には滑ったり転んだり、時には邪（よこしま）な考えや欲望に囚われたり、一歩間違えれば悪質な違法行為に手を染めてしまう可能性だってある。

だからこそ、特に公権力の行使者は憲法などでその権限の行使に厳密な歯止めをかけ、同時に権力を過度に集中させず、可能な限り分散させて相互にチェックさせる体制を堅持するのが民主政体の基本。立法、行政、司法の分立はもちろん、行政機関のなかにも一定の独立性が法的に保障された組織がある。公安委員会制度などが整えられた警察もそう、検察庁法でそれが明示された検察もそう。検察庁法は14条で次のように定める。

〈法務大臣は（略）検察官を一般に指揮監督することができる。但し、個々の事件の取調又は処分については、検事総長のみを指揮することができる〉

これもまた当然の話であって、法相が個々の事件捜査や処分にまで介入すれば、気に食わぬヤツを逮捕しろとかこいつは起訴するなとか、刑事司法が政治の意のままに悪用されかねない。他方、強大な権限を持つ検察組織が暴走する恐れだってあるから、政治の権限で一定の歯止めをかける必要がある。いわゆる指揮権だが、これだって本来は決してタブー視するべきではない。

だからこそ、検察の悪弊に真正面から斬り込むならともかく、検察まで「私物化」しようと謀る今回の政権の横暴は常軌を逸している。しかも直近の国会審議を眺めれば、後づけで法解釈を変更したり、その法解釈変更の決裁手続きすらまともにとっていなかったり、要は政権自身が横暴の重大性を深く考えていなかったのだろう。「無知」で「無恥」な政権の本質がここにも如実にみてとれる。

2020年03月15日

感染症対策の闇

新型コロナウイルスの感染が拡大するなか、いまだにどうしても腑に落ちないのは、検査体制が一向に不十分なままという体たらくである。さまざまな機会を捉えて専門家に尋ねてみると、ウイルスに特有の遺伝子を増幅させて感染を確認する、いわゆるPCR検査は決して難しいものではなく、民間の検査会社なども積極的に動員すれば、1日当たり万単位の検査は十分可能だという。実際にたとえば韓国などはすでに万単位の検査を日々実施している。

なのに日本では厚生労働相がいまも1日当たりわずか約4000件ほどが上限だと繰り返し、実際はそれよりはるかに少ない件数しか検査が行われていない。考えられる理由はいくつかあって、東京五輪などを前に感染者数をできるだけ低く見せたいのではないかとか、それよりも政権の「無能」によるところが大きいとか、しかも「1強」政権の虎の威を借りて〝コネクティングルーム〟でつながった首相補佐官や厚労省審議官が「危機管理」の前線に立っていると聞けば、それもむべなることかなと妙に納得してしまったりもする。

それはそれでいずれも大きな要因ではあるのだろうが、どうやらそれだけではない――そんな興味深い話をNPO法人・医療ガバナンス研究所の上(かみ)昌広理事長から聞かされた。自身も東大医科学研究所の特任教授などを歴任した医師である上氏によると、感染症対策は医療分野でもかなり特異な側面を持っているらしい。

たとえば、インフルエンザワクチンの開発・供給体制を例にとってみる。通常の薬剤であれば製薬企業が開発し、臨床試験の結果などを厚労省や独立行政法人・医薬品医療機器総合機構に提出して承認を受ける。この際、もちろん製薬企業の国籍は問われず、近年は各国企業の共同で治験が行われることも多い。

だが、ワクチンは違うという。国立感染症研究所（感染研）が国外からウイルス株を入手し、それを数社の国内メーカーに配布する。これを受けてメーカー側はワクチンを製造し、感染研が最終的な評価を下す。その対価として感染研には多額の公金が投入され、ワクチン製造に関わる数社の国内メーカーはいずれもその利権を固守し、ルーツをさかのぼれば、いずれも戦前の軍部にも連なると上氏は指摘する。

歴史的にも、また世界的にも、確かに感染症対策は軍事との関係が深い。だから「情報開示」を忌避し、「自前主義」を重視したがる。もちろん現在の感染研などが軍事的理論で動いているわけではないにせよ、そうしたルーツを抱えた強固な利権構造がいまなお民間の大々的な介入を拒んでいるのではないか――そんなふうに上氏は見立てている。

はてさて、こうした見立てがどこまで真実を射抜いているか、医療分野の内実に精通しているわけではない私には定かでない。ただ、似たような話は別の専門家からも耳にした。どうやら感染症対策の闇は存外に深く、口だけは勇ましいけれど基本的には「無能」な政権下、現実の対策は今後も迷走を続けそうな気配である。

2020年03月22日

執念のスクープ

これをメディア界の悪習に分類すべきかどうかはともかく、ライバルメディアのスクープや手柄にはどこか冷淡な態度を取りがちになる。それは新聞でも雑誌でも似たようなところがあって、後追いをするにしても小さめの扱いにしてみたり、無視を決めこんだり、時にはあえて逆張りに出てみたり、かつてメディア組織に所属した私もそんな習い性がどこか抜けない。

ただ、やはり文句のつけようのないスクープというものはあって、今回はさすがに大半の主要メディアも追随した。また、木欄は私が文責を負う署名コラムでもあるから、今回は本誌にとってはライバル誌が放ったばかりのスクープについて書きたい。『週刊文春』最新号に掲載された〈森友自殺財務省職員　遺書全文公開「すべて佐川局長の指示です」〉

記事を手がけた相澤冬樹氏はＮＨＫ社会部の記者として森友学園問題の報道に奔走していたが、政権の意向を汲むＮＨＫ上層部に疎まれ、ついには退局し、この問題に継続して取り組むため大阪日日新聞へと転じたという。今回の記事はいわばその執念の成果である。

森友学園への国有地払い下げ問題をめぐっては、首相の妻らの関わりを示す財務省の公文書が改竄され、それに関与したとされる近畿財務局の職員が自殺した。ここまでは周知の事実だが、なぜ職員は自ら命を絶ったのか、その想いや真実を伝える遺書等はないのか、さまざまな推測は語られても、確たることは闇の中だった。

だが、やはり遺書はあった。しかもそこには改竄の経緯などが赤裸々に記され、亡き職員の妻は逡巡の末にそれを相澤氏に託した。だから詳細はぜひ記事を読んでほしいのだが、自殺した職員――赤木俊夫氏（享年54）は不正な公文書改竄を命じられ、良心の呵責などに煩悶して心を病み、検察捜査まで受けるなかで七転八倒し、ついには命を絶つ奈落に追い込まれていた。記事タイトルにもあるとおり、遺書は改竄の責任者として当時の佐川宣寿理財局長ら財務省幹部の名も列挙していた。

推測どおりだが、やはり衝撃的な重大事実であり、佐川氏らの責は途方もなく重い。ただ、相澤氏も記事で書いているように、大元をたどれば首相の支持者に国有地が格安売却された問題があり、国会での追及をかわすために「私や妻が関与していれば総理も国会議員も辞める」などと軽々しい大見得を切った首相の態度に行き着く。

その辻褄あわせのため佐川氏らは文書改竄に突き進み、赤木氏は末端で矛盾の集積を背負わされた。こうした政権の悪癖は他の諸問題にも共通していて、つい最近だと検事長の〝定年延長〟問題をめぐって国会答弁を「言い間違い」で撤回させられ、天を仰いだ人事院女性局長の姿にも重なる。

つまり、問題の根本には現政権の抜きがたい体質が横たわっている。だから感染症対策に世が騒然となるなか、この問題をその間隙に埋もれさせてはいけない。ライバル誌の記事を本欄で紹介した理由もそこにある。

いつまで同じ過ちを

2020年04月05日

世界中が感染症の不安に覆われるなか、決して見逃してはならないニュースはほかにもある。滋賀県東近江市の病院で患者を殺害したとされる事件の再審＝やり直し裁判もそのひとつだろう。大津地裁は3月31日、元看護助手の西山美香さんに無罪を言い渡した。

再審が開始されていた以上、予想された結論ではある。ただ、西山さんは患者の人工呼吸器を外したとして2004年に逮捕・起訴され、裁判もこれを追認して懲役12年の判決が確定し、17年に満期出所するまでを獄中で過ごしている。

その時間はもはや取り戻せないし、なによりもこの冤罪事件には、この国の刑事司法の宿痾(しゅくあ)が凝縮されている。密室での長期の取り調べ。それがもたらす虚偽の「自白」。警察や検察が独占する証拠。検察の主張を追認するばかりの裁判。問題点は明確なのに、繰り返される同じ過ち――。

西山さんには軽度の知的障害があった。そんな西山さんに目をつけた滋賀県警は、密室での取り調べでやはり「自白」に追い込んだ。県警が集めた証拠や証言には西山さんの無実を示すものもあったが、公判では隠され、再審が終結したいまなお約３００点の未開示証拠が残されている。

本欄で何度も指摘してきたが、私たちが付与した権限と人員を駆使して検察や警察が集める証拠は、断じて検察や警察の所有物ではなく市民の共有物であり、裁判所にも弁護側にもすべて開示されるのが当然のはず。しかし、この当たり前がいつまでも当たり前にならない。

それぞれの事件内容を詳述する紙幅はないが、近年の冤罪事件を振り返れば、大半が同じような経過をたどっている。足利事件、布川事件、東電女性社員殺害事件、東住吉事件、あるいは袴田事件などもそうだが、いずれも取り調べで「自白」に追い込まれ、重要証拠が隠され、のちにそれが発覚して再審につながった。これらはごく幸運な例であって、水面下にはさらに多くの冤罪が潜んでいると考えるべきだろう。

今回、唯一救われる思いになったのは、無罪を言い渡した裁判長が、判決の最後に異例の自戒を口にしたことだった。「取り調べや証拠開示などがひとつでも適切に行われていれば、逮捕・起訴はなかったかもしれない」「刑事司法に携わる関係者が自分のこととして考え、改善に結びつけていかなければならない」

遅きに失したとはいえ、適切な自戒でもあり、そうした刑事司法の宿痾を正すのは政治の役目である。せめて取り調べの録音・録画をもっと拡大できないか。先進国では当たり前となっている弁護士の立ち会いも検討すべきではないか。証拠の全面開示に向けた法改正も急務ではないか――。

しかし、政権からも与党からもそうした声は一向に聞こえない。逆に国会で問題となっているのは検察トップに政権寄りの人物を就ける恣意的な人事。この政権はやはり、市民を守るより政権の利益と保身の方がはるかに大切なようである。

2020年04月19日

露呈した本性

私は数年前、『日本会議の正体』（平凡社新書）という一冊のルポを書いた。現政権をコアに支持する宗教右派団体の内実を探り、政権の本質を描き出そうという試みだった。端的に言えばその正体は、戦後民主主義を憎悪して戦前・戦中のファッショ的体制に憧憬を抱く「思想」めいたものに囚われた一群であり、カビの生えたように復古的な「イデオロギー」らしきものに支えられた集団そのものだった。

だから政権は個人の自由や人権を軽んじ、一方で自己責任論を振りかざして弱者を突き放し、さらには家制度などといった妄想に固執して男女平等や性的少数者の人権保護から目を背けつつ、「危機」に際しては国家が個人の自由や人権を収奪しても構わない、といった強権的姿勢をあらわに示してきた。憲法に「緊急事態条項」が必要だと訴えてみたり、安保法制にせよ特定秘密保護法にせよ、あるいは共謀罪等々にしても、すべてに同じ強権性が貫かれている。

そうした私の政権認識にいまも変わりはない。ただ、現政権を少し誇大評価した面もあったか、と反省を感じはじめてもいる。本当の意味での「危機」に際した現政権の、あまりに無残な迷走と無能ぶりを眼前にして。

振り返ってみれば、憲政史上最長になったという政権だが、それは選挙制度などによって与党内の対抗勢力が弱体化し、同時に劣化し、政権交代の挫折で野党が四分五裂した幸運によるところが大きい。また、政権の看板らしき経済政策にせよ、あるいは「地方創生」や「女性活躍」、「働き方改革」といった政策もどきの数々もそうだが、看板だけは次々掛けかえて「やってる感」は演出してきたものの、すべては空疎空虚で中途半端な結果に終始した。そして、そんな政治であっても、まさに「平時」においては――実は「平時」ではなく、着実に奈落の底に突き進む危機はずっと継続していたと私は思うが――さほど破綻が露呈せずにごまかし続けることができた。政権の主が得意とする嘘や詭弁も盛んにまぶしながら。

しかし、今般の「危機」は違う。新型ウイルスの世界的感染拡大は明らかに真の「緊急事態」であり、それに対処する政権の能力が正面から問われる。なのに政権の対処はすべて後手後手かつ愚昧なものばかりだった。いまだに必要な検査すら受けられない悲鳴が各所からあがり、私たちに届きそうなのは「布マスク2枚と10万円」。その「10万円」も迷走の果てに渋々決め、実際の給付は「早くても5月中」。466億円もかけた「布マスク」には虫や異物が混入し、カビまで生えていたと聞けば、政権の体質を皮肉る何かのメッセージかと勘ぐりたくもなる。

ひるがえって、同じ「危機」に直面した世界を俯瞰すれば、現政権が敵視する隣国の政権はそれなりの手腕で感染制御に成功しつつあり、「危機」に際しての常として各国の政権も多かれ少なかれ支持率を上げている。だが、この国の政権だけは見事に下落。要するにこの政権は奇妙な「思想」や「イデオロギー」もどきを基底としつつ、実は世襲政治家らしい「無能」と取り巻き優遇の「ネポティズム」こそが本性だったと記録されるべきなのかもしれない。

2020年05月17日

「場」の喪失

「バー(Bar)」っていうのはオレたちにとって大切な「場」、店の主(あるじ)は酒だけじゃなく、その「場」も提供してくれているんだ――いまは亡き先輩編集者からそんな台詞を聞かされたのは、私がまだ20代のころだったと記憶している。いってみればただの駄洒落のような戯言にすぎないし、妙にキザな物言いだとも当時は感じたが、以後の記者人生でたしかにそのとおりだと思い返されることが幾度もあった。

未知の人と偶然に隣り合わせ、対話し、交流を深めていく「場」。既知の友人や同業者、異業者、店主らと語り合い、ふとしたアイデアや貴重な情報を交換し合う「場」。時には激しく口論し、ひどい時には殴り合い、宿酔に後悔を抱いたことも多かったけれど、人と人とをゆるやかに、時には深くつなぎ、交友や人脈が思わぬ方向へと広がり、そうして見知った者たちが互いに助け助けられ、振り返ってみれば、私の仕事もかなりその影響や恩恵を受けてきた。

そんな「場」が失われて早くも1カ月以上になる。言うまでもなく新型ウイルスの感染拡大に伴う政府や自治体からの「自粛要請」によるものだが、そのこと自体の是非はともかく、いまだに感染の収束や制御の見とおしは立たず、失われた「場」が取り戻されるメドも一向に見えてこない。

心配になっていくつかの店の主には連絡をとっているのだが、幸いに私の知人の店主たちは青息吐息になりながらもたくましく生き抜いているらしい。とりあえずは安堵し、しかし現在のような状況が続けば果たしていつまで持つか、再び心配ばかりが鎌首をもたげてくる。

無聊を慰めるためというわけでもないのだが、柄にもなく、「オンライン飲み会」というのも試してみた。結構、悪くはない。よく知った幾人かの仲間の顔が液晶画面上に並んで映し出され、それぞれが好きな酒とつまみを用意し、以前のようにバカな会話をひたすら交わし、近況なども報告し合いつつ、深夜までぐだぐだとグラスを傾ける。酒場では見えなかった知人の素顔が垣間見えたり、お開きになったらすぐに布団に潜り込めたり、はるか遠い異国からも参加できたり、「オンライン」ならではの楽しみ方もなくはない。

だが、もちろん本来の「場」の代替物にはならない。せいぜいが旧来の交友の生存確認、互いの寂寥(せきりょう)を束の間癒やしてくれる程度の電磁空間。偶然の出会いも交友の広がりもなく、殴り合うことも肩を抱くこともできない。

あの「場」が再び取り戻されるのはいったいいつになるのか。感染対策をめぐって愚鈍な対応に終始する政権は、世論などに押され、迷走の末に「10万円」をすべての人に配るらしい。「早くても5月中」なうえに「世帯主の申請が必要」という相変わらずの愚鈍ぶりに腹を立てつつ、時期がきたら真っ先に申請し、「場」を一時閉じざるを得なかった知人の店主たちにそのまま渡そうと思い定めている。

2020年05月24日

首謀者は誰だ

前職の法務大臣と参院議員の妻が同時逮捕されるという前代未聞の事件は、徐々にその全体像が浮かびあがってきた。昨年7月の参院選に広島選挙区から妻が出馬した際、前法相が地元議員らに2000万円以上のカネをばら撒いたとされる公職選挙法違反（買収）が容疑内容の柱である。

もちろん論外の所業だが、同じ選挙区ではすでに自民党のベテラン議員が当選を重ねていて、前法相の妻がなぜ強引に割り込もうとしたか、夫妻の側に強烈な出馬動機があったとは思えない。

むしろ、ベテラン議員が政権の主に批判的だったことに遺恨を抱き、政権側が〝刺客〟として前法相の妻を送り込んだと考える方が自然だろう。だからこそ1億5000万円もの選挙資金が党本部から夫妻の陣営に注ぎ込まれた。この異例の資金投入には自民党や周辺からも「総理案件」「官邸の意向」といった証言が続出している。

また、このカネは複数回にわたって陣営に渡され、前後には首相が前法相とたびたび面会をしている。しかも選挙戦では、首相の地元秘書までが広島入りした。これもまた異例であり、前法相はカネをばら撒く際、戸惑う地元議員に「首相からです」と告げていたことも判明している。

そもそも前法相は政権に近いことを最大の売りにして政界で地歩を築き、実際に首相補佐官などを歴任し、自身のサイトなどでは首相とのツーショット写真を大々的にアピールしていた。昨年9月の内閣改造で法相に抜擢されたのも、直前の参院選での〝奮闘〟への論功行賞と考えれば辻褄が合う。

そうしたことを踏まえつつ、誤解を恐れずに記せば、しょせんは前法相夫妻も政権の主に都合よく使われた操り人形にすぎず、事件の全体像のなかで首謀者に位置づけるべきは政権の主であろう。そして公選法の規定をひもとけば、買収資金を交付した側も刑事責任が問われる。

これに検察はどう対処するのか。本誌で私は、検察庁法改定案に反対する異例の意見書を発した松尾邦弘元検事総長の証言を報告した。簡潔にまとめれば、検察は準司法的機関として公訴権や逮捕権を持つ強大な権力である一方、行政権の一翼に位置する行政機関でもあって、検察官も司法官と行政官という二つの顔を持つ。司法官としてはあらゆる不正に斬り込みたい欲望を持つが、行政官としては政権の顔色を窺い、間合いを計って落とし所を探りたがる。だから時には必要な捜査を躊躇し、矛を収めてしまうこともある――そう松尾氏は率直に振り返った。

今回の事件に当てはめれば、検察トップ人事にまで介入を図った政権への反発に加え、「1

強」政権の弱体化がようやく検察を突き動かした。前法相の立件は検察にとって〝勲章〟だが、果たして首謀者周辺にも一太刀を浴びせられるか。検察関係者に聞けば、どうやらその気配はないらしい。つまりこのあたりが落とし所ということか、結局は首謀者はまたも尻尾を切って逃げ切りを果たしそうな気配である。

２０２０年07月19日

人倫破壊政権

またも持病の悪化を理由に政権を投げ出した首相が長期執権で残した害悪は数多いが、すさまじく人倫を荒廃させた罪は万死に値すると私は思う。「政治家に古典道徳の徳目を求めるのは、八百屋で魚をくれというに等しい」と放言した政治家がかつていて、それはそれで一面の真理を突いているとは感じるが、ここまで真正面から政治や社会の倫理を破壊し尽くした政権が果たしてあったか。以下、思いつくままに列挙する。

（1）強者には媚び、へつらい、弱者には居丈高に振る舞う。それが外交面にも如実に現れ、多くの国々が疑念の眼を向ける異形の米大統領に、この国の首相は恥も外聞もないゴマスリに邁進した。しかも米大統領のご機嫌をとるため超高額兵器を爆買いし、膨大な公金を無為に費消した。

他方、歴史認識などから不協和音が響く周辺国との関係だが、中国には一定の抑制を効かせて向き合った。言うまでもなく中国が大国化し、経済面での依存度も高いから、怒らせて関係を悪化させるのは怖い。しかし、たとえば国力が劣ると目した韓国には（実際は国民一人当たりのGDPもすでに韓国はこの国を上回っているのだが）徹底して居丈高に対処し、政治目的で貿易制裁を加える禁じ手すら平然と弄した。

（2）多数を制すれば何をやっても構わない。時の政権に課される憲法の制約すら無視し、歴代政権がかろうじて堅持した憲法解釈すら覆し、これも歴代政権が自制してきた禁断の人事権すら放埒（ほうらつ）に行使した。

そして自らの「お友だち」や支援者、応援団には露骨な利益誘導を謀る一方、自らにまつろわぬ者たちには陰湿な攻撃を加え、薄汚い罵詈雑言を浴びせ、弱者や少数者は突き放し、隣国への居丈高な態度と相まってヘイト言説が飛び交う排他と不寛容の風潮をひどく煽った。

（3）しかも自らに向けられた批判や疑念には一切耳を傾けない。窮地に陥ると嘘や詭弁を平然と連発し、民主的な政治運営を担保する礎の公文書すら軽んじ、不都合なものは隠蔽し、破棄・廃棄し、ついには改竄という前代未聞の犯罪的行為まで引き起こした。

（4）しかし、責任は取らない。口先では軽々しく「責任」に言及しても、実際はなんの責任も取らず、国会や記者会見での説明からも逃げ、おもねるメディアやメディア人がこれに媚び、甘やかし、支える。

こんな政権が長期化し、政治や社会が荒廃しないはずがない。その証拠に、見よ、政権を投げ出した首相の後継争いを。人倫を破壊し尽くした政権の、それを中枢で担った官房長官の後継選出が早々と固まり、大半の派閥や議員が先を争ってその傘下に収まろうと殺到している。

ここでも口先では「政策の継続性」などが語られても、透け見えるのは新政権でのポストとポジション取りを睨んだ打算と保身。それをあからさまにして恥じない節操なき政治屋の群れ。長期政権の罪は確実に蔓延し、疑惑や不正の隠蔽とともに「継続」される。つまりは人倫破壊政権の第2幕である。

２０２０年09月20日

権力に抱かれる者

通信社の記者だったころに公安警察の取材をしていたから、内外の情報機関や治安組織に関する本はいまも一応は目を通す。内閣情報調査室（内調）の創設メンバーだったという著者による『内閣調査室秘録　戦後思想を動かした男』（志垣民郎著、岸俊光編、文春新書）は、かなり長く〝積ん読〟状態だったが、最近になって一読し、さまざまな意味で参考にはなった。

戦後間もない1952年に設置された内調は、「内閣直属の情報機関」と位置づけられる。近年は官邸に公安警察人脈が直接突き刺さり、内調の権能もかなり強化されたらしく、内実を過大視も過小視もできないが、少なくとも私が取材していた1990年代は、各省庁からの寄せ集めメンバーらで構成され、「情報機関」というほどの人員も力量も擁してはいなかった。せいぜいが「反共」を最大のレゾンデートルとした公安警察のミニチュア版であり、シンパのメディア人や文化人らに接触して「情報収集」に励み、逆にそうした連中に有象無象の情報をリークする卑小な「謀略機関」というのが実態に近い。

その創設メンバーによる「秘録」であり、「戦後思想を動かした」とあおるタイトルに首をひねりつつ読んだが、予想どおりの内容に正直失笑し、納得もさせられた。内調で長く活動した著者の主な役割は〈知識人対策〉だったと、本書はかなり率直な告白を記しているからである。

〈内閣調査室（引用註・内調の前身組織の名称）の知識人対策は、進歩的文化人への攻撃にとどまらなかった。並行して、これは、と目を付けた「現実主義者」とのパイプを築いてきた〉〈最も重視したのは日本の共産化を防ぐことであり、（略）同時に、政府に味方する保守の言論人を確保することも（略）重要な役割だった。右に行くのか、左に行くか分からない有望な学者に、テーマと研究費を与え、保守陣営につなぎとめる……〉

その上で本書には、著者が残した詳細な日記風の活動記録が数多く掲載されていて、そこには飲ませ、食わせ、カネを握らせるなどして交遊を深めた文化人の名が列挙されている。一部を紹介しておく。

藤原弘達（政治評論家）、石川忠雄（慶應義塾塾長）、猪木正道（京大教授、防大校長）、江藤淳（作家、評論家）、加藤寛（慶大教授）、神谷不二（慶大教授）、黒川紀章（建築家）、高坂正堯（京大教授）、香山健一（学習院大教授）、佐瀬昌盛（防大教授）、林健太郎（東大総長）、藤島泰輔（小説家）、村松剛（評論家）……。

おそらくこの実態は、いまもさほど変わらない。数多いメディア人、学者、文化人らのうち、時の政権や体制の意向にまつろわぬ者には攻撃を加え、すり寄る者は飲ませ、食わせ、カネや便宜を施しつつ懐に抱き込む。まさに「情報機関」などではなく、内閣直属の「世論工作機関」。その懐へといま抱き込まれていそうな者たちの顔は幾人も浮かんでくる。

2020年09月27日

〝リセット成功〟

持病の悪化を理由に辞任した前首相は、辞任直前の9月15日に読売新聞のインタビューに応じ、自身の体調について「新しい薬が効いている。もう大丈夫だ」と語ったらしい。これを受けてネット上では前政権に批判的な層から「仮病だったのでは」といった声もあがるが、最高権力者とはいえこれは難病という人間の健康状態にかかわること、軽々な論評は控えるべきなのだろう。ただ、それでも皮肉を込めていえば、すべてをリセットするのに前首相は見事に成功したように見える。

振り返れば、妙な思想や歴史観を振りかざして「味方」と「敵」をことさら峻別した前首相は、メディアにも強固な応援団を形成することで「1強」長期政権の燃料にしてきた。

しかし、森友・加計学園や「桜を見る会」をめぐる数々の政治問題はもちろん、特にコロナ禍という重大危機を眼前にして無様な対応に終始し、支持率と求心力を大きく低下させた。給付金が迷走の果てに一律10万円への政策変更を迫られたのも、検察庁法改定案が撤回に追い込まれたのも、あるいはイージス・アショア導入を断念せざるをえなかったのも、「1強」官邸の威光凋落を象徴する出来事だった。

しかも検察が牙を剥いて政権側近の元法相夫妻は検挙された。持続化給付金をめぐる巨額委託費問題なども次々炎上をはじめた。国会を開かず、会見もせず、逃げを打ってもさすがに限界はある。コロナの収束も五輪開催も見通せず、一方で「憲政史上最長政権」の称号は得た。だから政権を放擲したのかもしれないが、これですべてのものごとが確かに一変した。

前政権を番頭格として支えた新首相への政権移譲に成功し、新政権と与党の支持率は一挙に跳ね上がった。世論調査では前政権を「評価」する答えまでが7割に達した。その狭間ですべての不祥事も不作為も疑惑も醜聞も忘却されつつある。

メディアの責任も大きい。前政権のすべてを番頭格として仕切った新首相だというのに追及は極度に甘い。妙な思想を振りまわしてメディアを峻別した前政権と異なり、新政権にそうした気配が薄いのを内心で歓迎しているのではないか。前政権に批判的と目されたベテラン政治記者までが首相補佐官に抜擢され、長きに及ぶ分断統治にさらされていたメディアにはいま翼賛の気配すら漂う。

それにしても前政権は追い込まれると状況をリセットするのが得意技だった。２０１７年、森友・加計問題で受けた追及に窮した際も、野党が憲法に基づいて求めた臨時国会の召集要求を3カ月も放置した末、まるでリセットボタンを押すように解散へと突き進んだ。北朝鮮情勢が「国難」だと吠え、多弱状態の野党に助けられ、前政権はある意味で見事に長らえた。

そして今回のリセットである。「レガシーなき長期政権」と揶揄されるが、絶妙のタイミングで政権から逃げ出して状況をリセットしたのは、ひょっとして最大の「レガシー」と評するべきかもしれない。

2020年10月18日

権力の快感

前政権下で政権中枢の意向に疑義を唱え、左遷された元官僚に話を訊く機会があった。左遷人事の主導者はもちろん前政権の官房長官――つまりは現政権の主だったという。

その元官僚は幾人もの政治家に仕えてきたが、現首相について「長い官僚生活でも、あれほど異様な政治家はほかに思い当たらない」と嘆き、「権力への執着心が極度に強く、権力を振るうことそのものが目的化しているとすら感じた」と評した。

もちろん、左遷の憂き目に遭った恨みも混じっての評ではあろう。ただ、話を訊きながら私は、少し前に読んだ新聞記事を思い出した。10月2日付の毎日新聞朝刊に掲載された「記者の目」。執筆した秋山信一記者は最近まで官房長官番を務め、官房長官時代の現首相が「権力」についてこう漏らすのを聞いたという。「重みと思うか、快感と思えるか」。つまり現首相にとって権力の行使は「快感」ということなのだろう。ゾッとするような逸話である。

あらためて振り返るまでもなく、政権の主が妙な思想や歴史観を振り回して戦後の矜持の破壊にいそしんだ前政権期、その番頭として官僚支配の前衛に立ったのが現首相だった。元文部科学事務次官の前川喜平氏と対談した際、政権の実権を握っていたのは「官房長官だった」と氏は語り、こう回顧した。「各省の幹部は首相ではなく、官房長官を見ながら仕事をしていた」（対談の詳細は拙著『時代の抵抗者たち』河出書房新社所収）

その前川氏が加計学園問題での告発に踏み切った際、記者会見の場で「（事務次官の）地位に恋々としていた」と公然と罵ったのが現首相である。「出会い系バー通い」という醜聞を読売新聞に〝スクープ〟させたのも、情報の出方などから推測すれば、現首相が命を発したとも考えられる。

総務省では、ふるさと納税制度に疑義を訴えた自治税務局長が首を切られた。当の平嶋彰英氏の証言などによれば、現首相は平嶋氏にこんな恫喝の言葉を浴びせたという。「逃げ切りは許さないからな」

手駒たる官僚には徹底して服従を強い、裏切りはもちろん、真摯な諫言すら許さない。そんな政権の番頭は、検察トップ人事に直接介入を謀る禁忌にも手をつけた。「定年延長」という異例の待遇を受けた検事長は、前首相というより現首相のお気に入りだった。最終的には頓挫したが、内閣人事局を通じて霞が関を掌握した為政者が、さらには検察組織まで支配下に収めようと謀った貪欲さに驚くしかない。

そして日本学術会議の会員任命拒否問題である。冷静に考えれば、前政権の罪科がリセットされて高支持率で出帆した政権の発足直後、このような振る舞いに出て何の得もないように思える。だが、現首相が権力行使そのものを「快感」と捉えていると考えれば見方は少し変わる。組織運営では最も強大な権力の一つである人事権を剝き出しに駆使し、人を服従させることに「快感」を覚えるという理念薄き為政者。妙な歴史観や思想を振り回す為政者も厄介だが、こちらも相当に厄介で怖い。

2020年11月01日

破壊される「線」

政治学を専門とする宇野重規・東大教授が先日、政治や社会の仕組みを考えるにあたって「線を引く」ことの重要性を東京新聞で指摘していた（10月25日付朝刊）。三権の分立や政治と宗教に明確な一線を引く政教分離はその代表例であり、軍が政治に介入したり政治が軍を政治利用しないよう両者を分離し、厳密な文民統制＝シビリアン・コントロール下に置くのもそうだと述べたうえで宇野教授は、「政治と学術の分離」の原則にも言及している。

ご存知のとおり宇野教授自身、日本学術会議の会員任命から排除された当事者でもあるのだが、「権力の担い手は時とともに変わっていく。時の政権が過ちを犯すこともあるだろう。それを厳しくチェックし、批判することは、むしろ長期的には国家や社会の健全なあり方に寄与する」と記し、「『混ぜるな、危険』は、洗剤だけの話ではない」と皮肉ったのにうなずかされた。メディアなどにも通じる、至極基本的な原則だからである。

加えて言うなら、時の行政権力内にもそれぞれが「線を引く」ことで相互に牽制機能を堅持すべき組織や役職が存在する。内閣法制局長官などは代表格であるし、強大な権限を有する検察や警察組織が時の政権によって恣意的に運用されることも断じて避けねばならない。

にもかかわらず、前政権は内閣法制局長官や日銀総裁、果てはＮＨＫ会長などの役職に「お友だち」や自らに都合の良い人物を次々据え、ついには検察トップ人事に直接介入する禁忌にまで手をつけた。これは最終的にお気に入りの検事長が賭け麻雀で自らズッコケて頓挫したが、検察庁法改定案の国会提出を現政権はまだあきらめていない。

また、時の政権と警察が一体化することの危険性は本欄で何度か記した。戦前戦中の反省に基づいて公安委員会が警察組織を管理し、時の政権が直接介入する危険性を制御するシステムは、三権分立や政教分離といったものほど明確な「線」ではなく、ある意味では「点線」かもしれないが、とても大切で重要な「一線」であった。

しかし、これも前政権が無残に突き崩し、現政権にも引き継がれた。特に公安部門出身の警察官僚が官邸中枢に深々と突き刺さり、官僚人事から外交や防衛政策の企画立案などまでを差配するのは異様であり、調子に乗って学術との「線」まで破壊しているのはどう考えても常軌を逸している。

だというのに、政権に追従するメディアやメディア人は「民主的に選ばれた政権が人事権を行使して何が悪いのか」「公金が投入される以上、政権がチェックするのは当然」といった声援を喧しく発している。権力の集中を排し、「線を引く」ことで相互に牽制させあうシステムは、いわば先人たちが営々と積み重ねてきた英知だが、手前勝手な政権がその破壊にいそしみ、その政権と「一線」も引かないメディア人らがそれをはやしたてているのだから現在は相当に絶望的、末期的というしかない。

2020年11月15日

昏い顔

人事に関することについては答えを差し控える——日本学術会議の会員任命拒否問題をめぐる、これが首相にとっての決め台詞のようである。総合的とか俯瞰的といった意味不明な言葉を繰り返したり、自らの政権へと直線的に跳ね返ってくる多様性などという文句を吐いてみたり、まるで壊れたレコードのようではないかと野党議員が皮肉っても、最終的に行き着くのは常にこの台詞——人事に関することについては答えを差し控える。

実はこの台詞、一般的には意外と説得力を持って受け止められてしまっているのではないか。誰を登用するとかしないとか、あらゆる組織につきものの人事問題には、常に個々人への評価やプライバシーといった要素がまとわりつくものだから、と。

しかし、今回のようなケースでは、このような態度を許すべきではない。なぜか。

首相は今回、日本学術会議の会員は学術会議側の「推薦」に基づいて首相が「任命」すると定めた日本学術会議法に基づき、推薦者のうち6人の任命を拒否するという挙に出た。すでに各所で指摘されているように、この任命権はあくまでも「形式的」なものであって拒否など想定されていないとか、その法解釈を変更したなら手続きを踏まねばならないから任命拒否は違法だとか、さまざまな論点が提起されているものの、いずれにせよ首相は任命権という公権力を行使して6人の会員候補を排除した。

つまり、国家権力の行使者たる首相がその権力を行使し、特定の市民に明らかな不利益を与えた。なのにその理由を明示しないなどということは許されるはずがない。もしそのようなことが許されれば、治安機関が市民を身柄拘束しても、その理由は極めてプライベートなことに関わるから説明できないし明示もしない、といったことまで容認されかねない。もちろんこれは極論であって、憲法は「何人も、理由を直ちに告げられ（略）なければ、抑留又は拘禁されない」（34条）と明記しているが、理屈としては同じことである。少なくとも、一般的組織の人事問題とは物事の位相が根本から違う。

ただ、そう考えていくと任命拒否の理由を断固明かさない政権の態度には別の疑念も浮かぶ。思想信条で人を選別した違憲性が問われるから明かすことができないという以上に、理由を明示しない方が政権にとっては〝好都合〟であり、権力維持に〝効果的〟と目しているのではないか。

今回6人をなぜ排除したか、誰もがうすうす気づいている。時の政権の政策や意向に反する活動をした学者が狙い撃ちされたのだ、と。実際、一部メディアも「政府関係者」の証言としてそう報じている。

だが、具体的にいつ、どのような言動が「反政府」的と目されたかは分からない。政権にとってみれば、この方がよほど〝効果的〟だろう。学術界のみならず、広範な層に疑心暗鬼と委縮、服従のムードを強要できる。昏(くら)い顔をした為政者の決め台詞には、そんな陰湿で狡猾な臭いが漂っている。

2020年11月29日

美しき政治

今朝（11月25日）の朝刊各紙（一部の御用紙は除く）は久々に傑作だった。いずれも1面に掲載されていたのは「桜を見る会」の「前夜祭」をめぐる費用補塡(ほてん)問題。前首相側による補塡額が最近の5年で800万円を超えるとか900万円を超えるとか、各紙それぞれに摑んだ情報を大きな記事に仕立てていた。事実ならば公職選挙法違反（政治家による有権者への寄付行為）や政治資金規正法違反（政治資金収支報告書への収支不記載など）に該当し、〝前首相の犯罪〟が濃厚に浮かびあがる。

しかも疑惑は前政権期から盛んに取り沙汰され、前首相は国会などで追及された際、いけしゃあしゃあとこう断言していた。「事務所が補塡した事実はない」「後援会としての収入や支出は一切ない」

ウソをつくなと思ってはいたが、やはりすべて大ウソだったようである。行政府の長が国会で虚偽答弁を連発し、それが検察捜査などで裏づけられてきたのだから、ここで騒がなければいったい何のための新聞かと誹(そし)られる。

だが、傑作と評したのはむしろその脇の記事だった。こちらも各紙1面に掲載され、ほぼ同じ内容だが、ここは毎日新聞から引用する。〈安倍氏周辺　補塡認める〉と題した記事は、リード部分でこう書いている。

〈安倍氏周辺は24日、ホテルに支払った費用総額の一部を同氏側が補塡していたことを明らかにした。安倍氏には伝えておらず、今月23日に補塡の事実を報告したという〉（傍点は引用者）

おそらくは秘書あたりが各社の記者を集めて弁明した内容だろうが、もはや笑うしかないほど堂々たる責任転嫁である。要はすべて部下のせい。ワタクシは何も知らないし何も悪くない。「秘書が秘書が」は古くからある政治の逃げ口上とはいうものの、ここまで稚拙でわかりやすい逃げの一手は昨今珍しい。

ただ、考えてみればこれしか手はない。さすがの「1強」政権もホテルに残された明細書までは改竄も破棄もできず、それが検察の手に落ちて証拠を摑まれてしまった。こんな事態を憂慮したからこそ、検察トップにお気に入りを据えようと謀ったのに、その目論見(もくろみ)も頓挫し、いまとなってはもはや叶わぬ夢。

すべては身から出たサビだが、国会などで吐いた大ウソは消せず、野党やメディアが勢いづいて政治責任を追及するのは必至。場合によっては自らに刑事責任の火の粉が及びかねない。だからすべては秘書のせい。ワタクシは何も知らないし何も悪くない。

振り返ってみれば、前政権はそんなことの繰り返しだった。極北が森友学園問題をめぐる公文書改竄だろう。自身と妻の放埒な言動の責も、それに端を発する矛盾の後始末も、すべては財務省理財局とその末端に押しつけ、ついには1人の公僕が自死に追い込まれた。「最後は下部がしっぽを切られる。なんて世の中だ」と書き遺して。

それでも前首相はまたも尻尾を切って逃げを謀ろうとしている。これぞすなわち美しい国の美しい政治か。なんて世の中だ。

2020年12月13日

排外主義と歴史の教訓

在日コリアンとの「対話」から

朝鮮半島への反感を政権の浮揚力に

昨年は日韓関係が国交正常化以来で最悪の年になった――そんな文句が新年も連日メディアに躍っている。それでも年末には約1年3カ月ぶりの日韓首脳会談が中国の成都で行われ、両首脳が日韓関係の重要性への認識を共有し、少なくとも対話の継続では合意したと伝えられた。これで両国関係も改善の方向へと進んでいってほしい――そう心から願ってはみても、近所の書店を覗いてみれば、相も変わらずヘイトまがいの〝嫌韓〟言説を売り物とする月刊誌が平積みにされ、そこには首相の〝単独インタビュー〟がデカデカと掲載されている。

表紙のタイトルは〈習近平、文在寅には一歩も譲りません〉。今号もやはり〝嫌韓〟特集を組んでいるらしく、脇にこんな下卑た見出しも並ぶ。〈文在寅は習近平の忠犬だ！〉〈股裂き状態、文在寅〉〈韓国、貧困のブラックホール〉。果てはつい先日、女性への性暴行問題で東京地裁から賠償を命じられた元テレビ記者も執筆陣に名を連ね、タイトルは〈桜を見る会　売国野党と朝日新聞〉。

うんざりする。あえて同じレベルの言説を振り回せば、この国の首相こそ〈トランプの忠犬〉であり、子どもじみた嘘を連発して恥を振りまく政権こそ〈売国〉であり、この国だって〈貧困と格差〉はかつてないほど広がってしまっているではないか、と野次の一つも投げつけたくなるが、こんな月刊誌をまともに論評するつもりは毛頭ないし、それが本稿の目的でもない。

ただ、つくづく思う。こんな月刊誌のインタビューに嬉々として応じることの意味を、首相は真摯に考察してみたことがあるのだろうか。いかに自身の応援団が集っていても、ようやく日韓首脳会談が開かれた時期、〝嫌韓〟言説をバラ撒く雑誌に登場し、首相がその一角に名を連ねることの意味と影響を、多少なりとも考察しての振る舞いか。これでは対日関係の悪化を憂う心ある韓国の人びともうんざりして匙を投げるだろう。「こんな政権と対話などできるか」と。

しかし、そんな愚痴を連ねてもどこか詮無い。あらためて振り返るまでもなく現政権は、一貫して朝鮮半島への反感と憎悪を政権の浮揚力としてきた。２００２年の日朝首脳会談以後、現首相は北朝鮮への〝強硬姿勢〟を売り物に政界の階段を駆けのぼり、政権の座に就いてからも北朝鮮危機を盛んに煽り、時に安保関連法はだから必要だと訴え、時に「国難」と称して衆院解散の理由にした。他方で歴史修正主義的な志向も露にし、政権の応援団は〝嫌韓〟言説を量産し続けている。件の月刊誌に集う連中は代表格であろう。

つまり、昨今の日本で拡散してしまった〝嫌韓〟の風潮は、後述するように他のさまざまな時代的、社会的要因はあれ、〝政権主導〟の色彩が極めて濃い。また、その政権が「1強」として長期継続したことで、社会の中に相当深く根を張ってしまった。街角でヘイト言説をがなる連中などは論外にせよ、大手出版社までがヘイト本やヘイト記事を手がけ、テレビにも隣国を嘲笑するかのような番組が溢れている。

結果、一体の少女像を展示した芸術祭には抗議や脅迫が殺到し、外交や歴史問題への対抗策として半導体材料の輸出規制という通商圧力を持ち出す乱暴な政権のやり口を支持する世論が多数派となった。もはや〝嫌韓〟は政権の下卑た応援団だけの特異現象ではない。

植民地支配への考察が欠落している

そうした状況下、常に辛い状況に追い込まれるのは弱き立場のマイノリティー、日韓関係の悪化についていえば在日コリアンの人びとであろう。私自身、取材先の知人や友人に在日コリアンは多いが、私のようなメディア人との交流のない市井の在日コリアンの心情はいかばかりか――そう考えていたとき、先輩のノンフィクション作家である保阪正康さんから興味深い提案が寄せられた。保阪さんが続けている近代史講座の受講生に若き在日コリアンがいて、本人も望んでいるから一緒に率直な心情を聴き、現状を話し合ってみないか、というのである。

保阪さんも交えての座談であれば、朝鮮半島や日韓関係をめぐる近代史も振り返ることができる。願ってもない話に快諾すると、編集部が指定した場所に現れたのは2人の女性だった。いずれも現在30代で、日本の会社に勤務している。そのうちの一人、姜舜伊(カン・スニ)さんは日本で生まれ育ち、米留学経験もある在日コリアン。もう一人のチェ スルギさんは韓国で生まれ、日韓を往来しつつ現在は日本で暮らし、姜さんと同じ職場で働いている。

最初に保阪さんが、

「韓国を批判すればテレビの視聴率は上がり、一部の雑誌や新聞は部数が確保できるらしい。こうした異様さを2人はどう感じているのだろうか」

と尋ねると、まずはチェさんが口を開いた。

「最近の日本のメディア報道には強い違和感を覚えます。朴槿恵(パク・クネ)前大統領が辞任した際、国民感情で大統領を引きずり降ろすのは愚かだといった論調も目立ちましたが、むしろそれは民主的なことでしょう。最近も(韓国の)法相の報道ばかりでうんざり。でも、そういうメディア報道の影響なのか、韓国の問題になると目くじらを立ててご自身の主張をぶつけてくる方が増えました。普段はごく常識的な方もそう。先日は私が信頼している同僚の男性に『韓国は本当に約束を守らないな』なんて言われて。そんなことを私に言われても仕方ないんですが、『すみません』みたいな気持ちになってしまって……」

日本で生まれ育った姜さんもうっすらとしたプレッシャーに苛(さいな)まれていた。

「私は小さいころから出自への意識を持たされてきました。父からも『同じ能力なら日本人が選ばれるから、人一倍がんばれ』と強く言われて。なのでいろいろ問題があっても感情的にならず、自分なりに対処したり、別の道を探ったりしてきましたが、最近は以前と違う。テレビなどには日本礼賛の論調ばかり目立ち、仕事のお客さんなどとそういう（日韓関係などの）話題が出たときはすごくセンシティブになってしまって……」

保阪さんも同じ印象を抱いてきたらしい。

「僕も（日韓関係の）取材をたまに受けるけれど、取材の前提がずいぶん変わってきていますよね。最近はもう〝嫌韓〟を前提としたような質問ばかり。一方で『日帝36年』とも呼ばれる日本の植民地支配という歴史的事実に関する認識や問題意識は極度に薄い」

そう、元徴用工にせよ、元慰安婦にせよ、日韓にくすぶる問題の大半は日本の植民地支配に端を発しているというのに、そうした歴史に関する真摯な考察はメディアの俎上(そじょう)にほとんど載せられない。保阪さんが続ける。

「一般に植民地支配からの独立には一定の法則があって、独立運動が帝国主義国を追い出して政権を担う。ところが朝鮮半島は日本の敗戦で解放され、直後に米ソの対立を背景に分断されてしまった。したがって朝鮮半島の人びとには『日帝』を追い出して独立したという実感が不足している。一方、日本も植民地支配に対する責任や贖罪の意識をきちんと持てなかった。しかも直後には同じ民族同士が戦火を交え、半島を焦土に変えた朝鮮戦争まで勃発し、いまなお統一が果たされないまま二つの体制が対峙している。先の大戦後の構造がそのまま続いているわけです」

負の歴史は終わっていないと感じる

その一方である韓国と日本は1965年、国交正常化に踏み切った。大きなテコとなったのはやはり冷戦体制であり、共産主義陣営と対峙する必要に迫られた米国の意向が背後で強く働いていた。

当時の日本は佐藤栄作政権、韓国は朴正熙政権である。特に軍人出身の朴正熙は苛烈な独裁体制を敷き、民主化勢力を激しく弾圧した。同時に朴正熙は植民地下で日本の陸軍士官学校を卒業した経歴を持ち、岸信介を筆頭とする日本の保守政界と太いパイプで結ばれていた。また、朝鮮戦争で荒廃した国を日本の資金で再建したい野望も抱いていた。

だから国交正常化にあたっては無償、有償計5億ドルという「経済協力資金」を日本が支払い、両国間の請求権問題は「完全かつ最終的に解決」とする協定が結ばれた。いわば米軍の意向も背景とした日韓政権による〝政治的妥協〟の産物であり、植民地支配の責任は曖昧にされ、韓国内では個人の権利が置き去りにされた。一方、朴正熙は日本の資金などを元に「漢江（ハンガン）の奇跡」と呼ばれる経済発展に道筋をつけ、韓国内でもその評価はいまなお二分されているが、民主化を遂げた韓国では独裁下の〝政治的妥協〟への不満や憤懣が現在も根強い。

韓国生まれのチェさんが思いを語る。

「朴正熙政権から続いた長い圧政では、『日帝36年』と同じぐらいの苦しみがありました。いまその負の政治を清算しようとしていて、行き過ぎの面もありますが、間違った歴史を正したいという動きには若者たちも相当共感しています。私自身は65年に『これで終わりです』と言い切ってしまった韓国政府への怒りも抱いています」

在日の姜さんにはまた別の思いがある。

「もともと私の先祖は済州島（チェジュド）出身です。だから朝鮮戦争の前から虐殺などの犠牲になり、命からがら逃げてきた親戚もいて……」

日本の敗戦後、半島の南部は米軍政下におかれ、特に済州島では民主化の動きが先鋭化して軍政や警察などが人びとに激しい弾圧を加えた。さらに１９４８年に成立した韓国の李承晩（イ・スンマン）政権はさらなる粛清に乗り出し、軍と警察、右翼団体による虐殺で犠牲となった島民は計３万人を超えるとも言われる。いわゆる「済州島４・３事件」である。姜さんが続ける。

「私は親戚などからそういう生々しい体験を聞きながら育ちましたから、やはりまだ負の歴史は終わっていないと感じるんです。また、在日という立場で見ると、朝鮮戦争の特需が戦後日本の繁栄の土台になっていて、結局は私たちが犠牲になったという感覚も少なからずある。だから日本が『漢江の奇跡』につながる経済支援をしたと言われても、それはなんだか言い訳というか、単に利用しただけではないかとも考えてしまって」

日韓関係悪化は現政権と関係がある

「それに……」と言ってチェさんが再び口を開き、その指摘に姜さんも強く同意した。

「そういう歴史を日本の皆さんが知らなすぎる。マスコミの論調そのままの議論をぶつけてくる方と話してみても、実際にはほとんど歴史的知識を持っていない。韓国人が知っている歴史と日本人が知っている歴史は違って当然なんですが、あまりにも知識をお持ちではない方が多すぎて、対話にもならないレベルのことが大半です。だから議論しても無駄だと思ってしまって……」

詰まるところ、歴史への正確な知識を紡ぐ教育の問題に行きつくのだろう。対する韓国では「日帝36年」の民族受難史が学校で徹底して教えられる。これを「反日教育」と揶揄するのは簡単だが、そうして韓国人の近代史観は育まれる。チェさんが語る。

「私もそれに分量を割きすぎだろう、と感じることもあります。残虐な事件なども教科書に生々しく出ています。『堤岩里教会事件』（日本の統治下で日本兵らが教会に閉じ込めた29人を殺害したとされる事件）なんて日本の人はほとんどご存じないですよね。そういう教育は多感な年ごろにはショックですが、親や祖父母からも普通に教えられます。私のお祖母(ばあ)さんは日本語も話せましたから」

一方、日本では朝鮮半島の歴史どころか、近現代史すらまともに教えられない。なのに、後づけで得た薄っぺらな情報と短視的な歴史観で隣国を嘲(あざけ)り、蔑(さげす)み、露骨な憎悪を吐きかける者が増えている。つけ加えておくなら、昨今の日本を取り巻く時代状況もそこには影響しているだろう。中国などが飛躍的な発展を遂げ、日本の国際的地位は相対的に低下した。長期の不況や少子高齢化、非正規労働の急増などで将来への漠たる不安が蔓延している。先の大戦を直接知る世代も続々と鬼籍に入っていく。

そうした時代的、社会的状況も背景にヘイト言説や〝嫌韓〟ムードが拡散した現代日本。保阪さんが議論を引き取って最後にこう呟いた。

「要するに日本で韓国を知らない人、韓国でも日本を知らない人、そんな層がそれぞれで『韓国は約束を守らない』『日本は許せない』と罵り合い、日本ではこれがヘイト層となって憎悪や反発を煽っている。それでも昔の日本には社会の中に一定のバランスがあって、ヘイト言説などを吐いたり書いたりするのは恥ずかしいという認識を多くの人が持っていた。それを失ったのは明らかな知的劣化で、現政権と大いに関係があると僕は思う」

下卑た見出しの月刊誌を思い浮かべながら、私も保阪さんの意見に深くうなずいた。日韓関係悪化の大きな要因は、明らかにそこに横たわっている。

2020年01月26日

姜舜伊(カン・スニ)氏——東京生まれの在日5世。ルーツは済州島。社会派である両親の影響を受け、幼少時から日韓の歴史問題に関心を持つ。

チェ スルギ氏——東釜山生まれ。父の転勤で7歳から日本で生活。韓国で6年間、日系企業の人事支援に携わる。現在は日本在住。

政権vs検察の核心

松尾邦弘元検事総長、激白90分

黒川弘務辞任の報が駆けめぐる日に

２０２０年5月15日の午後、東京・霞が関の司法記者クラブで2人の元検察幹部が記者会見に臨んだ。２００４年から06年まで検察トップの検事総長を務めた松尾邦弘（77）と最高検検事などを歴任した清水勇男（いさお）（85）。政権が今国会での強行成立を目指した検察庁法改定案に異議を突きつけるためであり、検事総長経験者が公然と政治的意思を表明するのは異例中の異例だった。

この少し前には、SNS上で検察庁法改定案への抗議が燎原（りょうげん）の火のように燃え広がり、あらゆる分野の著名人がそこに名を連ねて大きなニュースとなっていた。これもまた、日本社会では前例なきムーブメントだった。そして直後には、渦中の東京高検検事長・黒川弘務がコロナ禍の緊急事態宣言中に新聞記者らと賭け麻雀に興じていた事実を『週刊文春』が特報し、政権が定年延長という奇策まで弄して固執した黒川は辞任に追い込まれた。

結果、政権は検察庁法改定案の今国会成立を断念した。強烈な民意に気圧されての判断か、『文春』報道を察知したことなどによるものかは判然としないが、事態はめまぐるしく動き、水面下では政権と検察の意志がぶつかりあい、双方とも混乱のなかで激しく軋んでいる。政治権力と検察権力が対峙するのはいまにはじまった話ではないが、今回のそれは明らかに異様であり、良かれ悪しかれ歴史に残る出来事として記録されるだろう。

だが、そうした最中だからこそ、政治と検察の本来あるべき関係について冷静に考察し、整理しておきたいと私は思った。だから、検察内部の実情に誰より精通し、「1強」政権にも敢然と異議を突きつけた当事者にじっくり話を訊いてみたかった。そう、元検事総長の松尾邦弘である。

90分近くに及ぶインタビューは、都心なのに静謐な松尾の事務所で行われた。検察を辞して15年近くも経つのに、ロッキード事件などで鳴らした元特捜検事の眼光はなお鋭く、元検事総長という立場から言葉遣いは慎重だったが、私の直截な問いに率直な考えや心情も吐露してくれた。取材当日は黒川辞任の報が駆けめぐっていて、話題は畢竟、そのことからはじまった。

政権中枢には斬り込まない検察

「黒川さんは私が（法務省）刑事局長時代などの部下でしたから、よく知っていますよ。非常に優秀でした。ただ、行政の場で使われ過ぎたのではないかと思います」

開口一番、松尾はそう語った。行政の場で——もっと直截に記せば、政治と検察の狭間で「使われ過ぎた」んだ、と。続けて松尾の話である。

「彼は昔から根回しのようなことが非常にうまい。検察官らしくない検察官というか、さまざまな人間関係のなかで物事を調整しつつ仕事を進める点で独特の才能を持っていた。そういう能力は誰もが認めていたでしょう。良し悪しは別として、行政官としては図抜けて優秀でした」

今回の検察庁法改定案と定年延長問題であらためて知られるようになったが、法務・検察とは特殊な位置にある役所である。いずれも三権のうち行政権の一翼にあるという意味では行政機関だが、一方で法務・検察を率いる検察官は公訴権——すなわち起訴・不起訴を決して人を刑事裁判にかける権限をほぼ独占し、政官界などをターゲットとする独自の捜査権も有している。

つまり、検察は司法権の一部ともいえる準司法機関的な顔も併せ持つ。だからこそ、戦後すぐの１９４７年に憲法や裁判所法と同時施行された検察庁法は、検察官の身分や定年を特別に定め、政治からの独立性も担保されてきた。松尾もこう自戒する。

「検察官は、時として司法官と行政官の二本足で立つことが求められます。ただ、司法官である意識は常にしっかり持っていなければいけないと私は思う。法務省で働いているときも、行政官としてはこうだとしても司法官としては少しマズいよね、ということがやはりあるんです。そうしたときに検察官、司法官としての矜持というか、堅い言葉で言えば正義とか道理を守れるか否か。そこは最も重要な資質です」

——黒川氏はそうではなかったと。

「行政官と司法官で言えば前者。彼は必要なら必要な理屈をつくって物事を進めるという意味では飛び抜けた能力を持った行政官として目立っていました」

だからこそ、政権は便利な存在として黒川を捉え、一方で行政機関としての法務・検察も、政治との折衝役や防波堤として黒川は重宝な存在だった。

そうした松尾の率直な自戒を逆に捉えるなら、検察とは「巨悪を撃つ正義」ではなく、時には組織防衛に躍起となる行政機関でもある。また、時には政権の意に従う者が幹部に就き、政治の顔色を窺い、本来はやるべき捜査をためらってきたことを物語る。そのことを松尾に問うと、率直な答えが返ってきた。

——政権絡みの事件捜査を黒川氏が潰してきた、という声もあります。経済再生担当相などを務めた甘利明氏がＵＲ（都市再生機構）から現金を受領していた件も、森友学園や公文書改竄も、政権の意向で捜査を潰したと。

「黒川さんが捜査方針をガラッと変えたかといえば、それは違うかもしれません。ただ、彼は政治状況に通じていますし、司法と行政の両面で言えば、法務行政の舵取りを担ってきたわけです。政治状況を考慮し、落ち着きどころを判断する役目を背負ってきたことはあると思います」

――つまり「1強」と称される政権下、果敢な捜査で政権中枢や周辺に斬り込むことのリスクを検察側としても考慮すると。

「そういうことです。事前にそのあたりを調整する能力があるからこそ、彼の影響力は検察内で拡大した」

「法が終わるところ、暴政が始まる」

では、過去の検察はどうだったのだろうか。たとえばロッキード事件。あらためて記すまでもなく、今太閤（たいこう）ともてはやされた元首相・田中角栄を収賄罪で立件した特捜捜査は、捜査の中身や背景への評価はいまもさまざまあるにせよ、戦後検察の地位を圧倒的に高める跳躍台となった。松尾も現場検事としてその捜査の一線にいた。

「環境が整っていました。時の政権も、法務大臣も、検察内で権限を持つ意思決定ラインも、本来あるべき検察権の行使に戸惑う状況ではなく、捜査を止める動きは基本的になかった。だからこそできたんだと思います」

ロッキード捜査当時を振り返れば、時の首相は三木武夫である。「金脈問題」批判を受けて第二次田中内閣が総辞職した後、三木は「クリーン」を金看板に政権を率いていた。法相はタカ派の稲葉修だったが、「逆指揮権発動」と称されるほどに検察捜査の背を押した。

一方、法務・検察を率いる検事総長だった布施健（たけし）は東京地検特捜部長などを歴任し、政治圧力に屈しない硬骨漢として知られていた。布施の後に検事総長となるナンバー2の東京高検検事長・神谷尚男も捜査に積極的で、「この事件に着手しなければ今後20年、検察は国民からの信頼を失う」と檄を飛ばした。捜査現場の検察官を含め、まるで惑星直列のように環境と人材が整ったからこそ、「元首相の犯罪」に検察は斬り込むことができた。

しかし、そんな環境が整うのはむしろ奇跡に近い。松尾も吐露する。

「検察が本来の役割と矜持を貫いてがんばれるのは、検察の体質もありますが、環境はやはり大きい」

——松尾さん自身、やるべき事件をやれなかったこともあると。

「ありますね。それはその時々の状況で変わってきますが、現在はより警戒心を強める必要があるように感じています」

――だから声を上げたと。

「ええ。本来は外からモノを言うのは好ましくありませんが、それだけでは済まない時代状況になっているという危機感です」

――その危機感をもう少し具体的に。

「まずは政治情勢です。そして検察庁もそれに気を使うようになっている。本来の司法官のありようとして決して好ましくない」

――権力行使への謙抑性が薄く、放埒に人事権を行使してきた政権は、ついに検察トップ人事にも直接介入を謀りました。対する検察の側も抵抗力が弱い。この危うさですか。

「そうです。政治の力を受ける検察も、独立した準司法機関としての意識が薄くなっている。人事を含めて検察の基軸はどこにあるべきか、検察官のあるべき姿を打ち出して検察権を行使し、社会の自浄作用の重要な部分を担っていくという意味での自覚がこれまで以上に求められるように思います」

そうした危機意識が松尾らを異例の意思表明へと駆り立てた。古巣の法務省に提出した意見書は松尾ら計14人の元検察幹部が名を連ね、次のような辛辣な言葉が記されたのは各メディアでも報じられたとおりである。

〈(政権の一方的な法解釈変更は)ルイ14世の言葉として伝えられる「朕(ちん)は国家である」との中世の亡霊のような言葉を彷彿させる〉〈政治思想家ジョン・ロックはその著『統治二論』の中で

「法が終わるところ、暴政が始まる」と警告している。心すべき言葉である〉（丸カッコ内は引用註、一部略）

森友、桜問題…捜査は工夫と根気次第

傲慢な政権と、矜持なき検察がにらみあう現状への危機感。元検事総長の苛立ちは深い。再び松尾が言う。

「検事総長という存在は、検察権の独立の象徴です。うっかりしていると時の政権に掣肘（せいちゅう）を加えられ、それが検察の姿勢に強力な影響を与えかねない。そういう危機感が検察には常に必要です」

松尾の危機感は私も基本的に共有するが、一方で検察もまた強大な権力機関であり、検察を軸とする刑事司法も数々の悪弊を抱えている。「人質司法」などはその代表例であり、冤罪事件も途切れず、ついには証拠改竄といった不祥事も検察を舞台に起きた。これを松尾はどう考えるのか。

「検察もその権限の行使に当たって国民の強い批判を浴びたことが何度もあり、こうした検察の逸脱をどう抑えるかの仕組みは重要です。従来より説明責任を果たし、開かれた組織にすることも必要でしょう。無理な事件作りをしたり、あるいは検察官が傲慢な意識を持ってしまっ

たりすることがないよう、検察組織、検察官がさらに鍛えられていくことが必要です」

この点では私の見解は少し異なり、検察を軸とする刑事司法システムには構造的な問題点が数々あって、本来は政治が正面から議論して改善を図るべきだと思う。ただ、次のような質問を最後にぶつけた際の松尾の訴えには、私も賛意を表明したくなった。

——では、甘利氏の現金授受にせよ、森友学園や公文書改竄にせよ、あるいは「桜を見る会」の前夜祭問題もそうですが、松尾さんが現役の検察官だったら、捜査による事件化は可能だと考えますか。

「証拠を見ないと断言できませんが、どんな事件も捜査は工夫と根気次第で変わります。そうした気構えを持たなくてはいけない。特に検事総長や検事長といった最高幹部は」

——というと？

「そういう意思とリーダーシップを持つ者が幹部にいるか否かで現場の意識はまったく変わってくるんです。そういう幹部なら現場も事件を持っていきたくなる。幹部も報告を待つだけではなく、『こうやれるんじゃないか』『もっと掘り下げてみろ』と刺激を与える必要がある。そういう意味で最高検や高検のリーダーシップは重要なんです」

この松尾のメッセージを、黒川なき後の現検察幹部は、果たしてどう受け止めるか。直近では、政権中枢に近い前法相・河井克行への検察捜査が控える。元検事総長の叱咤に応え、今度は果敢な捜査が尽くされるだろうか。

２０２０年06月14日

まつお・くにひろ——1942年生まれ。元検事総長。弁護士。検事任官後、連合赤軍事件、連続企業爆破事件などを担当、特捜部でロッキード事件を担当し、田中角栄逮捕に至る供述を贈賄側から引き出した。以後、法務大臣官房人事課長、法務事務次官、東京高検検事長などを歴任。

2021年

正気か

コロナ禍の1年が去り、新しい年が明けた。とはいえ新年を安閑と言祝ぐ気にはもちろんなれない。本誌読者の多くもおそらく同じ気分だろう。欧米で先行接種がはじまったワクチンの効果と普及にかすかな期待と不安を交錯させつつ、医療態勢を持ちこたえさせながらこの冬を乗り切れるか、感染症という人類史的な厄災と向き合う日々はなおしばらく続く。

だというのに、この国の政治の惨憺（さんさん）たるありさまはどうか。せっかくだから去った年を振り返れば、なにかにつけて「国民の生命と財産を守るのが政治の使命」と嘯いていた政権の主は、人類史的な厄災の襲来にまったくの無為無策、あきれるほど無能な正体を露呈した。一向に増えない検査。ろくな補償なき自粛要請。400億円超を費やしてバラまいた布マスク。「これを配れば国民の不安はパーッと解消しますから」。前首相にそう囁いたという側近は果たして正気だったのか。

その前首相は犬を抱いて優雅に寛（くつろ）ぐ姿までさらして猛批判を浴び、コロナ禍の渦中にまたも政権を投げ出した。持病の悪化が理由というが、すっかり元気な様子で改憲の必要性などを訴え、ゴルフや会食なども再開しているらしいと聞けば、森・加計・桜で火だるまになり、コロナ対策の困難さにも嫌気が差して逃げ出したのが真相ではないのかと疑念の眼を向けたくもなる。だいたい国会で大ウソを連発して平然としていた男の言葉を信じろというのが無理無体。

しかも前政権の番頭が継いだ現政権も無策無能を貫いている。カネとヒマのある者ばかり得をする「ＧｏＴｏ」なるキャンペーンに血道をあげる一方、感染抑止には興味すらないのか、連日のように朝昼晩、向かうのは高級レストランのご会食にネットテレビでは「ガースーです」とニヤケ顔。こんなときこそメディアが踏ん張って批判の矢を放たねばならぬのに、そのガースーとの会食に何社ものメディア幹部がいそいそ駆けつけているのだから泣くに泣けない。政治が瀕死ならメディアも瀕死か。

あまり書きたくないが、本誌前号の記事にも唖然とさせられた。厚生労働省の元医系技官が〈大予測 ２０２１年はこうなる！〉と題する巻頭特集に登場し、この冬の感染拡大を乗り切るために「知恵を出すべきです」と語りつつこんな「知恵」を堂々と披瀝(ひれき)していたからである。

〈例えば、80歳以上の重症患者は、人工呼吸器につないでも予後がよくないことが分かっています。だったらその年齢を境にして、「初めから呼吸器につながない」という選択も必要でしょう。もちろん国がそう決めることが前提です〉

これも正気か。要は80歳以上の重症者など死んでも構わず、国がそれを決めよということではないか。医療現場でそうした悲劇的事態が起こらぬよう最善の努力を尽くすのが厚労省という役所の仕事だというのに、その役所にいた人間がいけしゃあしゃあと「命の選別」を「知恵」だと放言する倒錯。もはや狂気の領域である。

なかにし礼さん

2021年01月17日

とてもスマートで、とてもダンディーな人だった。細身で小柄な身体には、常に上品な黒色の服をまとっていた。胸のあたりには洒落たアクセサリーが飾られ、外出先で会うと黒色のハットを被っていることもあった。すべてがよく似合っていた。

物腰も語り口もソフトだった。ただ、少し深く話をすると、小柄な身体に強靱な芯が1本通っていることに気づかされた。なんと表現したらいいのか、しなやかだが決して折れない、まるで血肉の奥底に埋めこまれた鞭のような反骨心だと私は感じた。

なかにし礼さん、享年82。ヒット曲を次々生み出した作詩家としての、あるいは作家としての活躍は、私がいまさらくどくど記す必要はない。田舎育ちの私も、なかにしさんが紡いだ詩（うた）を聴いて育った。

その強靱な反骨心の根っこには旧満州からの凄惨（せいさん）な引き揚げ体験があることもよく知られていた。だから「国家」とか「軍」などというものを、なかにしさんは根本的に信じていなかった。常日ごろは「国を守る」とふんぞり返っていた軍人が真っ先に逃げ出す様を幼少期に目撃し、国からは棄てられ、命からがら自力で故国に引き揚げてきた、その原点。

いや、「故国」などという概念すら希薄だった。なかにしさんは数年前に行った私との対談でこう語っている。「両親は日本人、生まれは牡丹江市。日本という国に故郷はなく、満州という国ももうない。だから日本において僕は完全な欠陥者なんだ」

欠陥者というより、自由人だったのだと思う。特定の集団や国家の論理に絡めとられず、絡めとられることを嫌う無境界の自由人。だからすべてを俯瞰して眺め、戦後の日本も辛辣に捉えていた。「戦後の日本というのは、民主主義のまねごとをやったけど、日本人はそれが身につかなかった。個の意識というものがこんなに育たなかった国は珍しいと僕は思う」と。しかも戦後処理に失敗し、いまなお隣国と角を突きあわせた挙句、安易皮相なナショナリズムが跋扈する現在。「僕みたいに軟派な人間が硬派になったといわれるような、そういう時代」を心底憂えてもいた。

そういえば、なかにしさんは私との対談でひとつ、一般にほとんど知られていない〝特ダネ〟を教えてくれた。故・青島幸男が作詞し、故・植木等が歌って一世を風靡（ふうび）した「無責任一代男」。実はあれ、天皇が責任を取らないから無責任が悪徳にならず、日本全体に蔓延してしまったという想いが込められた歌なんだよ、と。

世間的には高度経済成長下における皮肉混じりのサラリーマン讃歌と受けとめられている

が、「青島さんはもっと深刻な想いで、それを露骨に出さないで歌にした。大変な才能ですよ」。この〝特ダネ〟にもっと反応しなかったことを少し悔やみつつ、作詩から文学までを踏破して数々のヒットを生み出し、国家や天皇制の深淵にまで眼をこらしていたスマートでダンディーな芸術家の逝去を心から悼む。

２０２１年01月24日

半藤一利さん

なかにし礼さんへの追悼を前回書いたと思ったら、今度は半藤一利さんの訃報が届いた。なんという年の変わり目か、戦後の大切な知性がいちどきに失われていく。この喪失感は底なしに深く、足元のおぼつかなさに目眩（めまい）すら覚える。

「歴史探偵」を自称した半藤さんの歴史ノンフィクション作品の平明さと秀逸さは多くの人が知るとおりだが、なかにしさんが無境界の自由人なら、半藤さんは戦後日本の出版界を代表する良質な保守だった。天皇家や秋篠宮家の進講役を請われて務めてもいた。戦争体験を踏まえ、歴史と真摯に向きあって過激な気配の芽に日をこらすという意味で半藤さんこそがまさに保守だった。

本来なら、立ち位置が異なる私などと交わることはなかったかもしれない。だが、編集者の仲介もあって本誌などで鼎談や対談を繰り返し、生意気で無作法な私のどこをどう気に入ってくれたのか、半藤さんの作品群を文庫化する際は帯に推薦文を依頼されたことまであった。たとえていうなら、根っこの生えている場所は違うのに、枝葉は重なるところがとても多かったとでもいうべきだろうか。いや、半藤さんという大樹の枝や葉が広く大きく繋っていたから、私の貧相な枝葉を包み込んでくれたのだろう。この国の現在の政治や社会のありようへの危機感は常に重なりあい、むしろそれは私よりはるかに強かったようにも思う。

特に前首相の反知性的な佇まいには辛辣だった。私との対談や鼎談の原稿を読みかえすと、「不勉強なお坊ちゃん」「法を無視している」「かつての自民党政権にも、これほど独裁的に法を踏みにじる人はいなかった」といった言葉が並んでいる。

個人的に印象深いのは２０１５年に保阪正康さんも交えて行った本誌上の鼎談（同年８月23日号掲載）である。「社会が戦争に向かっていく危険な兆候を、昭和史から学ぶことができる」と前置きした半藤さんは、その「兆候」をこう列挙した。

①被害者意識と反発が国民に煽られる。②言論が不自由になる。③教育が国粋主義に変わる。④監視体制が強化される。⑤テロの実行が始まる。⑥ナショナリズムが強調される――。

もはやかなりの要素が揃いつつあるのではないですか――そう尋ねると、半藤さんは即座に言った。「しかも昔よりスピードが速い。言論の自由がなくなったことで戦争に対する抵抗ができなくなってしまったというのが、昭和史の最大の教訓です」

そしてこうも。「残念ながら、新聞も雑誌もジャーナリズムには商業主義の側面がありま す。これによってメディアは、時代の流れを見誤ってしまうことがある。言論に携わる人間たちこそ、いま一度、歴史と時代にまじめに直面していただきたい」

戦後の良質な保守の警鐘をあらためて嚙みしめつつ、歴史から照射して現在と未来を見とおす大切な羅針盤を、私たちが失ってしまったことに気づかされている。

２０２１年01月31日

10年の蹉跌

まもなく3・11から10年を迎える。切りのいい数字や周期で年月を区切って過去を回顧するのはメディアの古くからの習い性だが、あれからもう10年経ったと言われれば、時の移ろいの早さにはやはり深い感慨を抱く。

個人的なことを記せば、私も震災直後から繰り返し被災地を訪ね、なんらかの文章を紡いで被害の実相を記録できないかと煩悶した。だが、紡げなかった。東北の太平洋沿岸全域に壊滅的被害をもたらした大津波に加え、福島第1原発の大惨事まで折り重なり、一介の物書きがどこをどう切り取って文章にすればいいのか、にわかには手に負えないと思った。要するに被害の規模と人びとの負った傷のあまりの巨大さに打ちひしがれ、尻込みしてしまったのである。

それでもこの10年、主に原発事故の被災地を私なりに訪ね歩き、そこに暮らす人びとの話を訊き、文章を紡ぐ気持ちと準備がなんとか整ってきた。近いうちに一編のルポにまとめるつもりだから、これはいずれ本欄でみなさんにご報告したい。

一方、あれから10年を経たこの国はどうか。誰が考えても3・11は戦後最大級の複合的大災害であり、災害はしばしば政治や社会の構造的歪みを浮き彫りにする。そして誤解を恐れずに記せば、「悲劇の共有」は政治や社会を大きく変える原動力にもなる。

3・11もたしかにそうだった。特に人類史でも未曽有の原発事故は安全神話などという虚構を築いた政官と電力会社、科学者らの不実を満天下にさらし、原発マネーに跪（ひざまず）いたメディアやジャーナリズムの腐臭に至るまでを明るみに出した。

だからなのだろう、3・11を機に目が覚めたというか、政治観や価値観を変えたという者が、特に若年層を中心として私の周囲にも多かった。そういえば反原発を突如熱心に唱えはじめた元首相もいたし、国会前のデモなどに集った学生らも3・11が意識変化の契機になったと私に語っていた。

考えてみれば、3・11という「悲劇の共有」を土台に取り組むべき課題は多岐にわたった。エネルギー政策の転換や気候変動に伴う環境対策、都市と地方のありようや分散型社会への移行、科学の独立や政治への市民参画、メディアやジャーナリズムの変革等々、挙げはじめればキリはないが、しかし残念ながらそれが大きな進捗を遂げたとはとても言えない。

逆にこの10年の大半を担った政権は、むしろ構造的歪みの固守に邁進した。そればかりか、危うい排他や不寛容の風潮を盛んに煽り、それを政権浮揚の追い風にして長期執権を成し遂げた。つまり、「悲劇の共有」を教訓とした真摯な前進より、それをつかの間忘れさせてくれる安酒に浸ってしまったという、そう記せば身もふたもない10年だったように思う。感染症に無策を極める政治はその必然的帰結かもしれない。

2021年02月21日

五輪の正体

五輪組織委のトップである元首相が愚かな差別言辞を吐いて今般の大騒動を引き起こした際、当初は大して問題視せず、辞職を求めるべきではないかと問われても「権限がない」と傍観を決めこんだ政権の主。しかしそのトップが自身の〝後任〟に日本サッカー協会の元会長を〝指名〟したと伝えられると一転して素早く動き、「国民に信頼される決め方が大事」「ルールや透明性に基づいて決定すべき」などというきれいごとを並べて〝後任人事〟は白紙に戻された。

もちろん「ルールや透明性」が重要であることに異論はないし、辞職に追いこまれたトップが〝後任〟を独断で〝指名〟するのは論外の所業である。ジェンダーギャップや不透明な政治・組織文化が問題化した騒動の本質を考えても馬鹿げた振る舞いであり、しかも日本サッカー協会の元会長は歴史修正主義的な性癖の持ち主らしく、五輪組織委のトップにふさわしいなどと私も思わない。

ただ、各種の人事権を放埒に行使して権力を掌握してきた政権の主が当初はそれを行使せず、なのに〝後任〟の名が浮上すると態度を豹変させて持ち出した「ルールや透明性」などというお題目を額面通りに信じるのも馬鹿げている。裏には別の思惑があると考えるのが自然だろう。

そんなことを考えていたら、五輪組織委の内情などに精通した旧知のスポーツジャーナリストが面白い話を聞かせてくれた。ざっくりと紹介すれば、次のような構図が背後には横たわっているという。

まず、コロナ禍で世論動向が「五輪の中止や再延期もやむなし」という方向に傾くなか、ＩＯＣはなんとしても東京五輪を開催したい。仮に無観客となれば約９００億円の入場料収入は失われるが、そんなものは開催国に押しつければいいし、無観客でも開催できればＩＯＣは莫大な放映権料などを確保できる。

一方、この国の政権も五輪をなんとしても開催したい。無残な新型コロナ対策や続発する不祥事で政権支持率が落ちこむなか、今秋までには総選挙を戦わねばならず、五輪は政権浮揚の貴重かつ格好のアイテム。

だが、日本サッカー協会の元会長は独善的人物として知られ、政権のコントロールが利かずに暴走しかねない。加えて元会長は「無観客なら五輪開催の価値がない」と公言してきており、政権の思惑に反する事態に陥ってしまいかねない。だから政権は態度を豹変させ、「ルールや透明性」という建前を持ち出して自らが制御しやすいトップ選びに舵を切った——。

以上の話がどこまで真相に肉薄しているか断じる材料を私は持たないが、決して的外れではないだろうとも直感する。ならば商業化や肥大化といった従来の悪弊に加え、政治の玩具として弄ばれる五輪という巨大イベントの正体をあらためて浮き彫りにしたという意味でも、東京五輪は歴史に名を残すかもしれない。

2021年03月07日

政と官

週刊文春がスクープした総務官僚の接待スキャンダルは、この国の政と官の現状が見事に凝縮されている。まずは文春編集部の奮闘に心からの敬意を表し、そのうえで問題を分析すれば、総務省の幹部官僚が利害関係者から繰り返し高額接待を受けていた理由は主に二つしか考えられない。

①この国の官僚の倫理観はいまも相当に低く、今回の総務官僚らは他の利害関係者からも接待や饗応を受けるのが日常茶飯事だった。②いやいや、さすがにそうではなく、今回は東北新社だったことが大きい。誘い主に首相の長男がいたからこそ、官僚はいそいそと出かけていった。

仮に①だとすれば、今回の総務官僚らはある意味で相当な強心臓である。1990年代には大蔵官僚の接待汚職などが立件されて一大政治問題と化し、官業の癒着への猛批判が巻き起こった。国会では国家公務員倫理法も全会一致で制定された。

2000年代に入っても業者からの接待などを受けた防衛事務次官が収賄罪で立件されており、そうしたことに無自覚な1人や2人程度ならともかく、場合によっては手が後ろに回りかねない行為にこれほど多くの官僚が関わるとは少々考えにくい。

だとすれば②の可能性が高いとみるべきか。総務相も務めた首相の威光は総務官僚にとって絶対的であり、まして首相は前政権期から内閣人事局などを通じて幹部官僚人事を牛耳り、自らの意に沿わぬ官僚は平然と首を切ってきたことで知られる。

総務相時代には自身の意に反する発言をした課長を更迭し、著書ではそれを手柄話として自慢した。官房長官時代には、ふるさと納税制の拡充に異議を唱えた局長も左遷に追い込んでいる。その被害者である元総務官僚の平嶋彰英氏に長時間インタビューした際、平嶋氏が現首相をこう辛辣に評したことが私には忘れられない。

「とにかく乱暴なことばかり言って、気に入らないと人事権を振るう」「率直に言って、あれほどひどい方はいない」「要は人事権を持っている人間が一番強く、これでは『法治』ではなく『人治』です」

インタビューの詳細は間もなく書店に並ぶ拙著『時代の異端者たち』（河出書房新社）に収録したからぜひお読みいただきたいが、こんな政治家を長に戴いた官僚の処世術がどうなるかは想像に難くない。大半の者がひたすら恭順の意を表して服従し、一部の者は盛んに鐘や太鼓を叩いて囃し立て、時には親分の威光を絶対視するあまり倫理観など踏み越えていく。

一部報道によれば、現政権の内閣広報官に取り立てられた元総務官僚は、テレビ番組で首相が厳しい質問をぶつけられた直後、局に電話を入れて「総理、怒ってますよ」などと恫喝したらしい。その広報官が今回、首相の長男同席で一回７万円もの高額接待を受けていたと聞けば、ああなるほどとすべてのことが氷解する。提灯持ちが愛玩され、直言する者は馘首され、実に荒涼たる政と官の現風景である。

２０２１年03月14日

狼と虹

東アジア反日武装戦線を追ったドキュメンタリー映画『狼をさがして』を観た。狼、大地の牙、さそりの3部隊を名乗って一連の企業爆破を引き起こし、世を慄然とさせた当事者や関係者らを直接、間接的に取材してきた私にしてみれば、驚くようなエピソードが描かれているわけではない。ただ、この映画には主に二つの点で時代的意味があるように感じられた。

まず、映画が韓国人女性の手によって制作されたという点である。監督のキム・ミレは1964年生まれ。韓国や日本の労働運動などに焦点を当てたドキュメンタリーの制作を手がけ、大阪・釜ヶ崎で日雇い労働者の取材をするうちに東アジア反日武装戦線の存在を知り、本作の撮影に取りかかったという。

あらためて記すまでもないが、かつて統治した朝鮮半島との関係を振り返るとき、戦後の日本がその罪と真摯に向き合ってきたとは思えない、というのが隣国での大方の受けとめだろうし、私も同じように考えてきた。まして日本では昨今、修正主義的な歴史観を公然と振りまく為政者たちが政権の中枢を構成している。

だが、戦前戦中ばかりか戦後日本の加害性までを深く内省し、徹底して思いつめ、ストイックなまでに身を律して行動に移した若者が1970年代の日本にいた。結果として多くの人の命を奪い、傷つけることになってしまったが、そうした若者たちの存在に光を当てたドキュメンタリーが現在の日韓でどう受けとめられるか。

もちろん、1本のささやかなドキュメンタリーが両国関係を大きく突き動かす可能性はないだろう。ただ、最悪状態に陥った両国関係を憂う心ある者たちの意識にさざなみを立て、互いの過去と未来をあらためて捉え直す契機にはなる。そう直感したからこそ、キム・ミレという韓国人女性はこのドキュメンタリーを手がけたのではないか、というのは私の妄想に過ぎないが、せめて小さな芽になってほしいと切に願う。

もう一点、事件の凄惨さがもたらす過剰な悲愴感が薄いのも本作の特徴といえる。作品内でカメラを向けられた者たちも存外に率直な想いを吐露し、それが淡々と映像化されている。韓国人女性の手で制作されたせいもあるだろうし、事件から半世紀近い時の経過がそれを可能にした面もあるだろう。考えてみれば、「反日」という言葉のニュアンスもすっかり反転し、時の政権にまつろわぬ者への罵倒語に堕してしまった。狼部隊を率いた大道寺将司も獄死してすでに世にない。

しかし、東アジア反日武装戦線を名乗って一連の事件を引き起こした若者たちの思想と実像を捉え返す時期がようやく訪れたともいえないか。そして、本作がほとんど触れなかった命題については特に深く考察せねばならない。なぜ彼ら、彼女らは虹を架けようとしたのか。もし虹が架けられていたら、現在の情景はどうなっていたか。本作に重大な欠落部分があるとすればそこだが、むしろそれは日本に暮らす私たちが考え抜く命題と捉えるべきだろう。

２０２１年05月02日

五輪と玉砕

徹底して無能というだけですでに十分な厄災なのに、この国の政権は自己の無能性を客観視することさえできないのだから泣けてくる。大阪はあっという間に医療崩壊状態に陥り、無為無策のまま3度目の緊急事態宣言に追い込まれ、肝腎のワクチンも一向に届かず、接種数も接種率も世界的には無惨な周回遅れ。なのに五輪という巨大商業イベントの開催は断固として諦めない。

だが、誰がどう考えても五輪の強行開催など到底不可能だし、開催すべきでもない。小学生レベルの算術で把握できる指標もそれを明確に示している。

たとえばワクチン。無能な政権の場当たり的な強弁をかろうじて信じるとするなら、黄金週間明けからワクチン調達もようやく軌道に乗り、高齢者を皮切りに接種作業が本格化するという。その数、65歳以上で全国に約３６００万人、集団免疫を獲得するにはさらに数千万人への接種が必要となり、北海道から沖縄まで全国津々浦々で医療資源の集中投入が求められる。

ここにきて首相は自衛隊の医官や看護官を動員して東京と大阪に接種会場を設け、それぞれで1日1万人の接種を3カ月行うよう防衛相に指示したという。政権の必死さをアピールする狙いだろうが、一見派手に見えても焼け石に水。実現したって両会場の接種回数は計200万に満たず、仮に1年休まず続けても700万回強。要はそれほど厄介な難事業であり、重症者対応で救急医療が崩壊状態に陥る地域が出るなか、猛暑の五輪に必須だろう医療資源を割いている場合でないことは子どもにもわかる。

検査もそうだ。ここにきて明らかにされた五輪開催時の政府対策方針によれば、選手やコーチを含むすべての大会関係者は出国前に2度のPCR検査などを義務づけ、入国後は毎日検査の実施を条件に2週間待機を免除するという。いやいや、PCR検査は偽陽性や偽陰性の発生が避けられず、医療圧迫や人権侵害の恐れがあるから広範に実施すべきではない、というのが政府の方針ではなかったかとイヤミのひとつも言いたくなるが、それはとりあえず措く。

それ以前の問題として、五輪とパラリンピックの選手は総計で1万数千人に達し、これにコーチやスタッフ、大会関係者や報道陣を含めると、相当に絞り込んでも来日者は数万の単位。一方、受け入れる開催都市・東京の検査可能件数は、昨年に1日6万5000件規模まで増強する方針が示されているものの、現時点まで1日最大の検査実施件数は2万にも満たない。

こんな状況ですべての大会関係者をどうやって「毎日検査」するのか。仮に可能だとして、では日々発生する感染者の検査はどうなってしまうのか。いや、もし可能だというなら、その能力をなぜいままで広範なモニタリング検査などに使ってこなかったのか。いずれにせよ、浮き彫りになるのは為政者の無能さばかり。それを客観視もできず五輪強行開催に突き進み、玉砕するのは勝手だが、一緒に奈落に落ちるのは私たちなのだからたまったものではない。

2021年05月23日

原器

フランスの首都パリ近郊にあった地下金庫にはかつて、超精密な1キログラムの分銅が厳重な施錠下で保管されていた。白金イリジウム合金製だというその分銅は、1889年から130年近くも質量の単位＝重さの基準として世界に君臨してきた国際キログラム原器。これを通称で「ル・グランK」と呼ぶことは、毎日新聞で科学分野を長く担当する青野由利・専門編集委員が何年か前に書いたコラムで教えられた。

重さの基準としてル・グランKことキログラム原器があれば、長さの基準にも金属製人工物のメートル原器があった。だが、メートル原器はずいぶん前に光の速度で再定義され、キログラム原器も2019年にやはり物理定数に取って代わられ、人工物としての原器はいずれもその役割を終えた。

しかし、原器のようなものが求められるのは重さや長さの世界に限らないように思う。たとえば私が禄を食むメディア界でも、有象無象の情報に日々接したり雑務に追われたりしているうち、物事を考える際の軸や見当識がズレてきているような気がして狼狽し、あの人ならどのように考えるかと、常に立ち返って参照する原器のような先達がいる。私にとって辺見庸さんは、そんな存在のひとりである。

だから久々の刊行となる辺見さんの時評集『コロナ時代のパンセ』（毎日新聞出版）もすぐに読んだ。そして今回に関しては、自分の立ち位置や軸のズレを感じて自戒するより、決してズレていなかったことを確認し、同時に時代への絶望を一層深めた。たとえば〈「序」に代えて〉のこんな一文——。

〈疫病根絶は疑いもなく人類史的使命である。しかし根絶にかこつけて非常事態を恒常化する見えない政治的意図がどこかではたらいてはいないか。社会はそれに荷担していないか〉〈まったく不思議というほかない。緊急事態宣言の発出をより強く求めたのは、じつのところ政治権力ではなく、民衆と野党であったのだ。私権の制限、自由の制約を厭わない人びとを果たしてわたしたちは想定していただろうか〉

そしてこんな一文も。
〈若いころ、ジャーナリズムの世界に身を置いていたのだが、一度としてそれが「真っ当」だと得心したことがない。どころか、ことさらにジャーナリズムを標榜すればするほど、そのじつ権力になずんだそれが「いかがわしい」ものに思われてしかたがなかった。肩で風を切る記者や傲岸な同業者に、おのれの似姿を見る心もちがするせいだろう、内心いくども舌打ちした〉

いずれも強くうなずく。ただ、かつて同じ通信社に属した先輩だからというわけではなく、私にとって辺見さんは作家であると同時に、いまなおジャーナリズムという「いかがわしい」世界の前線に立つ大切な道標であり、その世界の只中（あるいは底辺）で煩悶する私が正気を取り戻したい際に頼る同時代の原器。同じように考えている同業者は多く、これぱかりは他に取って代えることができない。

２０２１年06月06日

「風評加害」

風評加害、という造語があることを最近、知人の新聞記者に教えられた。どうやら「風評被害の原因となる理屈や言葉」を指すらしく、福島の原発事故をめぐって環境省がこの5月23日に東京・六本木で開いたシンポジウムでは、パネリストの社会学者が「風評加害の問題」に触れ、有力世襲議員として知られる環境相が「風評加害者にならないこと」の重要性を訴えたという。

直後の5月28日には、衆院の環境委員会でも「風評加害」なる造語が登場している。質問でそれを発したのは、かつての民主党政権で原発事故収束担当相や環境相などを務め、現在は自民党入りを目指しているという節操なき無所属議員。〝先輩環境相〟としてのアドバイスのつもりか、現環境相に向けて彼はこう訴えた。

「後悔していることがある。それは風評加害（への対応）だ」「非科学的な情報や報道には、丁寧に説明するだけではダメ。きちっと反論することが求められている」

そしてこの無所属議員に言わせれば、私も「風評加害者」の1人らしい。政治家としての彼には一片の関心もないし、SNSの類いもやらないから知らなかったのだが、少し前に彼は自身のSNS上で私を名指し批判し、「風評加害」だと指弾していたらしい。原因は私がテレビ番組で発した「汚染水」という言葉だという。

ご存知のとおり、事故から10年を経ても福島第1原発の廃炉作業は先がまったく見えないが、敷地内に林立するタンクに貯まった膨大な「汚染水」を放射性物質除去装置で「処理」し、海洋放出する方針を政府は先に正式決定した。地元漁協などが猛反発する一方、政府の意向に沿って主要メディアは「処理水」と書くことが多い。

だが、果たしてこれは適切な表現か。人類史でも未曽有の大事故を起こした原発は現在も日々大量の「高濃度汚染水」を生み出していて、いくら除去装置で「処理」を施したといっても、少なくとも現在保管されているのは「汚染水」。除去装置では取り除けないトリチウムが含まれるほか、除去しきれなかった他の放射性物質も残留しており、あらためて「再処理」が必要なことは政府も東電も認めている。

しかも政府や東電の従前の隠蔽体質を考えれば、現時点でこれを「処理水」と表現する方が物事の本質を見誤らせ、同時に「海洋放出」という政府や東電の決定を追認する効果をもたらす。

思い出すのは武器輸出を「防衛装備移転」、共謀罪を「テロ等準備罪」、そして安保関連法を「平和安全法制」などと言い換え、物事の本質をそらすのに躍起となった昨今の政治の狡猾であり、「風評加害」という言葉がさらに悪質なのは、物事の本質を考察しようとする者を排撃する犬笛の効果を誘発しかねない点であろう。

結果として政治は本質の説明からも逃れかねない。一見して福島に寄り添うふりを醸しつつそれを可能にするのだから、これほど邪悪な政治的造語はない。

2021年06月20日

東京五輪万歳！

この夏の開催強行がめざされている東京五輪は結果的に、ろくでもない物事のろくでもない本質を露呈させる役割も果たした。あらためて順を追って記録しておく。

① 平和の祭典とか連帯とか友情とかアスリートファーストとか、いかにも麗しい看板を掲げてはいても、裏では関係者がカネと利権の沼にどっぷりと浸り、いざとなれば人びとの想いなど一顧だにせず、それどころか命や健康すら踏みつけにする。IOC幹部の発言はそれを見事なまでにあらわにした。五輪のためには犠牲を払うべきだ、緊急事態宣言中でも開催する、首相が中止を求めても個人的意見にすぎない——と。

一国の主権を蔑む一連の発言に、この国の自称愛国者はなぜ猛(たけ)らないのか不思議で仕方ないのだが、要するに五輪の本質は〝ぼったくり男爵〟たちによる腐敗臭漂う巨大商業イベント。今般の五輪も招致をめぐるJOCの贈賄疑惑は解明の途次にあり、先にJOC経理部長が自死したのは一体なぜか。いずれにせよ五輪なるイベントの虚飾は剝げ、それを眺める世界の眼は確実に醒め、今後誘致したがるのは権威主義に毒された国や都市に偏っていくだろう。

② 一度決めたことはなかなか止(や)められず、止めようと真摯に諫言する者もおらず、しかも

誰一人として責任を担わず取らず、そうやって奈落にまで突き進んでしまうこの国の政治と社会の宿痾。その際には往々にして科学的知見やデータが軽んじられ、抽象的で安易な精神論が横行する。これはかつての大戦時と同じではないかと指摘する多くの識者の言葉にも深く頷く。

③

復興五輪、アンダーコントロール、コンパクト五輪、人類がコロナに打ち勝った証、安心安全な大会で希望と勇気を世界に届ける——。よくもまあ、その場限りの薄っぺらい虚言や詭弁をここまで連ねてきたと感心する。だがそこにはこの国の昨今の政治が凝縮されている。政権中枢に数々浮上した不正にせよ、各省庁で続発した不祥事にせよ、そのたびに文書や情報は隠され棄てられ改竄され、それでも為政者はその場限りの虚言や詭弁を弄して逃げ、最後の責任はすべて下部に押しつける。それでも政権は倒れない貧しき政治の極北。

④

この国の現状に関してさらにつけ加えるなら、ジェンダー平等の圧倒的後進性に象徴される人権状況も浮き彫りにされた。だが、これもそもそもを考えれば、五輪招致の言い出しっぺは「ババアは有害」だの「三国人」だのと平然と放言していた極右の都知事。要は招致段階から一貫する醜い本性の表出にすぎず、それが全世界にバレて多少なりとも自省を迫られたのは五輪の皮肉な効能だろう。

紙幅が尽きるのでこの程度にするが、コロナ禍による延期という偶発が大きく作用したとはいえ、いちどきにこれほど多くのろくでもない本質を剥きだしにするのだから、五輪なるイベントのパワーはやはりすさまじいというべきか。ならば私もこの歴史的五輪を言祝いでも構わない。東京五輪万歳！

２０２１年06月27日

「拝察」の眺め方

東京五輪をめぐる宮内庁長官の発言が波紋を広げている。正確にいうなら、五輪開催強行に突き進む政権に対し、天皇が強い懸念を抱いていることを示唆した長官発言がさまざまな憶測と波紋を引きおこした、と記すべきか。長官は6月24日の定例会見で概略こう述べた。

「陛下は現下の感染状況を大変心配しておられる。国民の間に不安の声があるなか、ご自身が名誉総裁をお務めになる五輪開催が感染拡大につながらないかご懸念されている、ご心配であると拝察している」

発言の重大性に反応したからだろう、宮内庁詰めの記者たちも問いを重ね、長官と次のようなやりとりがあったらしい。

――陛下の懸念は長官の「拝察」か。

「日々陛下とお接しするなかで私が肌感覚として受けとめているということ」

――仮に「拝察」でも長官発言としてオン（オンレコ）だ。発信していいのか。

「はい。オンだと認識している」

これを受けて各メディアが長官発言を速報し、直後の会見で官房長官は「長官自身の考え」とかわし、首相も翌25日に「長官本人の見解」と一蹴する姿勢を示した。

いうまでもなく憲法は天皇について「国政に関する権能を有しない」と定め、その発言や意向が政治に影響を及ぼすことがあってはならない。ただ、世論調査などでも圧倒的多数が今夏の五輪開催に否定的だというのに、無観客を求める専門家の提言すら蹴散らして有観客開催に突き進む政権への反発ゆえだろう、一部の野党幹部は「言葉の重みを踏まえて対応すべきだ」と政権を牽制し、ネットには「天皇の懸念」すら軽んじる政権への批判が溢れた。

私はといえば、もちろん天皇の言動に政治性を見出すのは断じて避けるべきだと思うから、こうした意見に同調しない。だが、政権や与党は皇室をしばしば政治利用してきたし、今回の「懸念」について言えば、人びとの大半が同じ思いを抱いているのだから、こんなものは「国民統合の象徴」として人びとの普通の声を代弁したにすぎないじゃないか、と皮肉の一つも言いたくなる。一方で、この長官発言はもう少し醒めて眺めた方がいいとも思う。

現在の宮内庁長官は元警察官僚であり、しかも現上皇が在位時の２０１６年に生前退位の意向を表明した際、苛立った前政権が宮内庁をグリップするために次長として送り込んだ。官房長官だった現首相も当然人事を主導し、２０１９年に長官に就いた。

そんな長官が政権に無断で「天皇の懸念」を発信するだろうか。仮に天皇が「懸念」を抱いているにせよ、長官は政権側とも十分に事前調整し、ある種の落としどころとして「ご懸念を拝察」することにしたのではないのか。これを「長官の見解」と一蹴するのも、ある意味で政権と調整ずみの出来レースであり、おそらく政権はさほどの痛痒を感じておらず、うまく処理できたとでも考えているのではないか。もちろん五輪が本当に「安心安全」に開かれれば、の話だが。

２０２１年07月18日

野卑と品位

つい先日、原稿書きをしながらＢＳテレビの報道番組を眺めていて、心底から不愉快な気分になった。いや、昨今の政界はここまであからさまな態度や発言が許される雰囲気なのだと再確認し、うんざりさせられたと記した方が正確かもしれない。

その日、番組が取りあげたのは大統領選が近づく韓国の内政と日韓関係だった。軽佻（けいちょう）浮薄になりがちな地上波の同種番組に比べれば、出演する専門家もそのコメントもかなり的確ではあったが、与党から唯一出演していた女性参院議員の発言と態度だけは違った。

政治記者でない私は、一般には無名に近いだろう彼女と面識がなく、政治的立ち位置も詳しく知らないが、調べてみると当選1回の若手ながら外務官僚出身らしい。なるほど、だから外交にも一定の知見がある与党議員として番組が招いたのか。

ただし彼女の態度や発言は、政治家としても元外務官僚としても相当に低劣で野卑だった。それは別に韓国に対する外交姿勢が強硬だとか、あるいは融和的だからとか、そのような尺度とは別の意味の低劣さであり、野卑さだったと評してもいい。

たとえば彼女は、極度に悪化した日韓関係について、「妙なイデオロギー」に取り憑かれた韓国現政権の姿勢に原因があると番組中に断じた。また、韓国大統領が東京五輪の開会式出席を検討していると報じられたことについて、韓国側が態度をあらためない限り日韓関係が好転することはなく、だから何のために来日するかわからないといった趣旨のことを平然と口にした。しかも発言中、たびたび薄笑いを浮かべながら。

彼女の発言を揶揄することはいくらでもできる。韓国の現政権が「妙なイデオロギー」に取り憑かれているなら、日本の政権や与党も「相当に妙なイデオロギー」あるいは「妙な歴史観」に憑かれ、半導体材料の輸出規制といった禁じ手まで弄して両国関係をひたすらこじらせてきたではないか、と。

だが、そんなことより問題なのは、テレビという公の場における彼女の態度と発言である。

政治家として、まして元外務官僚として多少なりとも真っ当な理性があれば、内外の批判に晒されている五輪開会式のために来日する隣国の大統領にこのような物言いはしない。本来なら「大統領来日が両国関係改善のきっかけになることを願う」とか「日本としても努力する」とか、せいぜいが「韓国側の出方を見極めて対処する」とか、そうした発言に止めるのが最低限の外交的儀礼。

なのに、元外務官僚の若手議員が薄笑いを浮かべて隣国の大統領を蔑むのは、政権や与党内部にそうした雰囲気が蔓延しているからだろう。強国にはひたすら媚びへつらう一方、隣国には居丈高に振る舞う野卑と歴史観の喪失が末端にまで浸透して政治と外交の品位を歪め、国内ではヘイト言説を煽る温床にもなっている。そのあたりの詳細は、最近刊行した『この国を覆う憎悪と嘲笑の濁流の正体』（講談社＋α新書）でもノンフィクションライターの安田浩一さんと真剣に語り合った。一読を乞う。

2021年07月25日

錯乱五輪

コロナ禍の下での五輪開催について私は、本コラムでも繰り返し異議を訴えてきた。いや、そもそも現在の東京に五輪を招致すること自体に当初から疑義を唱えてきた。そして、あらかじめ十分予測された通り、感染状況がこれまで以上に巨大な第5波に突入し、いまからでも中止すべきだと強く思う。

だが、それでも強行開催されている錯乱の五輪はテレビを中心に連日長時間中継され、ニュースなどでも大々的に報じられ、それをうんざりと薄目で眺めつつ私は、この国のメディアから恥の概念すら失われていることをあらためて疑い、悄然（しょうぜん）とさせられている。

とりあえずここでは五輪開催の是非については脇におく。ただ、参加している各国の選手にとって今般の東京五輪は、どう考えてもフェアな環境下で競技が行われていない。実際には穴だらけとはいえ、感染防止対策の必要から各国の選手たちは相当に厳しい行動制約を課され、十分な準備もできず、練習も困難を極め、閉鎖的な環境下に置かれた心理面などの負担も大きい。また、これもあらかじめ強く懸念されていた酷暑にしたって、それなりに慣れている開催国の選手に比べ、外国からやってくる選手に不利なのは自明のこと。

もちろん、五輪をはじめとするスポーツイベントはもともと開催国にアドバンテージがあり、開催国の選手やチームが好成績を収める傾向が強いことぐらいは承知している。とはいえ、今般の東京五輪はそのレベルが明らかに、そしてケタ違いに大きい。つまり、極度にアンフェアな環境下であらゆる競技が行われている。

それでも開催を強行するなら、人類が等しく苦境に喘ぐコロナ禍の下の五輪として――これも正確には「等しく」苦境に喘いでいるわけではなく、医療態勢やワクチンの供給などで圧倒的な不平等が蔓延(はびこ)っているのが世界の現実ではあるが——、決してはしゃがず、粛々と競技を伝え、アンフェアな環境下でフィールドに臨む各国の選手に深く配慮するのが最低限の節度。

しかし、現在の風景はまったく違う。某公共放送をはじめとするテレビ各局は自国選手のメダル獲得にはしゃぎ、各メディアのサイトには今回もまた「国・地域別メダル獲得数」が堂々と掲載され、しかも現時点ではその最上位には日の丸が鎮座している。いまさら五輪なる巨大商業イベントが謳(うた)う理想なるものをありがたがって戴く趣味は私にないが、五輪憲章はあらゆる競技について「選手間の競争であり、国家間の競争ではない」（第1章の6）と定め、IOCや組織委員会に対しては「国ごとの世界ランキングを作成してはならない」（第5章の57）とされていたはずだというのに。

そんな理想はいつも通りに軽々と蹴散らし、圧倒的にアンフェアな環境下での五輪でも自国のメダル獲得に狂喜し、そして閉幕後には「五輪史上最高のメダル数」などと自賛するつもりか。それもまた、今般の錯乱五輪に付記される無恥の記録として後世に記憶されるに違いない。

2021年08月22日

名著復刊

悪化の一途を辿るコロナ禍の現状とか、なのに五輪を強行する愚かな政治とか、憂鬱なことばかりの毎日だが、それでも日々生活を紡いでいれば、個人的にうれしいこともたまにはある。かつて黄版の岩波新書で刊行された井出孫六著『抵抗の新聞人　桐生悠々』が復刊されることになり、解説原稿を書かせてもらったのはそのひとつだった。

私の郷里でもある信州の地元紙・信濃毎日新聞で戦前戦中に主筆を務め、「関東防空大演習を嗤う」といった論説で軍部に敢然と抗った桐生悠々については、以前も本コラムで触れたからあらためて詳述はしない。私はこの本をたしか高校時代に読み、記者という仕事に初めて漠然とした憧れを抱いた。少々大袈裟にいえば、この本はメディアとかジャーナリズムと呼ばれる世界に私を誘うきっかけにもなった。

その本が復刊し、解説原稿を委ねられたのだから、これほどうれしい仕事はない。しかも解説の執筆にあたり、著者の井出孫六さんが遺した取材メモや資料類に目を通す機会を得たのは望外の僥倖だった。

井出さんも私と同じ信州出身の作家であり、実は同じ高校に通った大先輩でもあった。残念ながら昨年10月に89歳で他界し、生前お目にかかる機会を得なかったのは痛恨事だが、今回の復刊にあたって岩波書店の編集者が遺族から取材メモや資料類の提供を受けたのである。

それを見て知ったのだが、井出さんはいわゆる風流夢譚（ふうりゅうむたん）事件を大きな動機として悠々の評伝を書こうと思い定めたようだった。若き日に中央公論社の編集者だった井出さんは、1961年に同社社長宅が右翼テロに襲われた事件に直面し、無惨に右往左往する名門出版社の姿に失望したらしい。資料に含まれていた〈桐生悠々への接近のｍｏｔｉｆ〉と記されたノートには、風流夢譚事件の詳細な経緯や言論の自由を守りきれなかった教訓に続き、〈桐生悠々に学べ〉と端正な字で書き遺されていた。

つまり井出さんは、自らが勤める出版社がテロに襲われ、それに膝を屈したかのような戦後言論人の姿に苛立ち、ファッショの暴風が荒れ狂うなかでも書くべきことを書いた悠々に言論人としてのあるべき姿をみた。だから物書きとして独立し、75年に『アトラス伝説』で直木賞を受けて作家としての地歩を築き、満を持して80年に刊行された桐生悠々の評伝執筆に取り組んだのではないか。

あらためて記すまでもなく、いまも愚かで乱暴な為政者の下、メディアやジャーナリズムは頼りなく漂流している。戦前戦中に言論人の節を貫いた新聞人と、その実像を誠実な作家が紡いだ評伝は、いまに通じる教訓が数々ちりばめられている。だから9月に復刊される岩波現代文庫版が一人でも多くの方に読まれることを願う。

余談だが、悠々に触れた本コラムの切り抜きも井出さんの資料には大切に保管されていた。

少々驚いたが、この世界に誘ってくれた先輩作家と確かに繋(つな)がっていたのだと感じ、これも望外にうれしいことだった。

2021年08月29日

製造者責任

メンタリストなどという意味不明の肩書だか職業だかを自称し、いわばタレント活動をしてきた男の発言が批判を浴びている。そのことについて書くために鼻をつまみ、男が運営する問題のネット動画を見た。まあ、すさまじいまでの精神の荒廃である。「自分にとって必要のない命は僕にとって軽い」「ホームレスの命はどうでもいい」「群れ全体の利益にそぐわない人間を処刑して生きていける」「生活保護に食わせるカネがあるなら猫を救ってほしい」

もちろん、1ミリたりとも容認などしない。だが、率直にいって既視感もある。この男のあまりに荒涼とした、どうにも救いがたき言説の数々も、ある意味ではこの国の政治や社会が抱える病に由来する、それがあまりにも露骨な形で表出した一種の症状に過ぎないように思えてならない。

男が言挙げした生活保護についていえば何年か前、与党の幹部議員らが受給者への猛バッシングを扇動し、直後の衆院選で与党は支給基準の引き下げを訴え、実際にまもなく戦後最大ともいわれる保護基準の引き下げが決められてしまった。

さらに広範な困窮者や弱者、マイノリティーをめぐっては、たとえば政権幹部や都知事らが終末期医療や重度障害者に触れる文脈で「さっさと死ねるようにしてもらうとか考えないと」「ああいう人たちって人格はあるのかね」と言い放ったことがあった。性的マイノリティーを指して「生産性がない」と雑誌に書いた与党議員もいた。これを堂々と擁護し、性的マイノリティーの権利を訴えるなら「痴漢の権利も保障しろ」と書いたのは政権の提灯持ちだった。コロナ禍の下、命の選別を公言する厚労省の元役人らも跋扈している。

愚かな言説を挙げはじめればキリはないのだが、要は「生産性」とか「効率」といった新自由主義的、あるいは優生思想的な尺度を持ち出し、自己責任やら弱肉強食の風潮を煽って差別や弱者切り捨てを肯定する態度は、昨今のこの国の政治や社会に通底する病である。その果てに相模原の障害者施設での惨劇なども発生し、本来政治が担うべき「公助」より「自助、共助」の優先を公言する政権などにもそれは受け継がれている。

いや、政治だけではない。このメンタリストを自称する軽薄なタレントが大量に生み出してきた出版物の数々を見てみるといい。ネット書店で検索するとこんなタイトルの劣悪な自己啓発本が、私に言わせればゾッキ本の類いが、大量に液晶画面に陳列されている。「超人脈術」「超決断力」「超報復力」「計画術」「『好き』を『お金』に変える心理学」。版元には著名出版社も名を連ね、安易なゾッキ本でいかに出版がカネ儲けに走ってきたか、そしてその結果としていかに軽薄なタレントを増長させてしまったかが手にとるようにわかる。

つまり、事態はこの荒涼たる精神の持ち主を批判して済むほどに単純でもなく、薄っぺらくもない。俗悪な政治とメディア環境の狭間（はざま）から、このメンタリストはひり出されたのである。

2021年09月05日

精神の荒廃

メディア報道による名誉毀損の認定には慎重であるべきだと考える私だが、これは至極当然の判決だろうと受けとめた。DHCテレビジョンが制作した番組「ニュース女子」によって名誉を毀損されたと人権団体共同代表の辛淑玉（シン・スゴ）氏が訴えた裁判で、東京地裁はDHCテレビジョン側に550万円の賠償と謝罪文の掲載を命ずる判決を言い渡した。

私があらためて指摘するまでもなく、番組は徹頭徹尾、沖縄の米軍基地反対運動を嘲笑（あざわら）い、沖縄や在日コリアンへの差別と偏見を煽る醜悪な代物だった。2017年12月にはBPO（放送倫理・番組向上機構）の放送倫理検証委員会も「重大な放送倫理違反があった」と結論づけ、番組を放送した東京MXテレビを次のように指弾している。「内容に裏付けとなる事実が認められない」「侮蔑的表現のチェックを怠った」「放送に責任を持つ者の最低限の義務を怠った」

今回の判決にもこうある。「暴力や犯罪行為を含む過激な運動で、辛氏はそれを裏から操る人物との印象を与えている」

この件については、ノンフィクションライターの安田浩一さんと最近上梓した対論集『この国を覆う憎悪と嘲笑の濁流の正体』(講談社+α新書)でも詳しく論じたが、判決を受けて安田さんとネットテレビで再び語り合う機会があった。差別や偏見を煽る者たちと直接対峙しながら取材を続ける安田さんの憤怒はいまも深く強かった。「番組はヘラヘラと笑いながら手垢のついたデマで差別と偏見をばらまいた」「取材らしい取材がまるでなされていない」「ドキュメンタリーをナメている」

まったく異論はない。加えていうなら、この番組の悪辣性は、差別や偏見を煽った点にとどまらないと私は考えている。一応は「ニュース」の冠を掲げて取材したふりをまぶしつつ、番組は当初から差別や偏見を一種のバラエティ＝娯楽商品として消費しようとしたのが本質ではなかったか。事実、東京MXテレビはこの番組を「バラエティ・情報」のジャンルに位置づけていた。つまりは取材が不十分なのではなく、番組は取材によって事実を提示するつもりなど毛頭なく、差別や偏見を嘲笑混じりの娯楽商品に仕立て、視聴者に投げ与えた。メディアやジャーナリズムの原則以前の、ため息すら出ないほどの精神の荒廃である。

さらにいうなら、そうした荒廃を増長させた〝上流部〟の罪も問わねばならない。番組を司会した元新聞記者をはじめ、ＤＨＣテレビジョンに集うのは前政権の主の太鼓持ちが大半である。同じ面々が常連執筆者に名を連ねる月刊誌もあって、そこでも似たような言説が垂れ流され、しかも前政権の主が嬉々として双方のインタビューなどを受けてきた。要するにこの国の〝上流部〟が差別と偏見にお墨つきを与え、互いに支え支えられ、だから荒廃した精神は増長を重ねた。

その前政権の主がいま、感染症対策そっちのけで繰り広げられている権力争いでキングメーカーを気取り、またもレイシズムの臭いをぷんぷんと発散させる者を支援すると息巻いているらしい。荒廃しているのは一番組でも一テレビでもない。

２０２１年09月26日

あとがき

本書は、毎日新聞出版が発行する週刊誌『サンデー毎日』に連載コラムや単発の記事として寄稿した文章を一冊に編んだ時評集である。振り返ってみれば、同誌でのコラム連載もすでに6年340回を超え、それを中心に編んだ時評集も本書で4冊目となった。雑誌に寄せる原稿はその場かぎりで読み捨てられるものと覚悟して書いているのだが、こうしてまた一冊の本に編み直され、あらためて多くの読者に届けられるのは、取材者としても物書きとしてもつくづく幸せなことだと思っている。もともと雑誌によせた時評集という性質上、永く読み継がれていくものではないと承知しつつ、手に取った読者のみなさんがそのときどきの記憶を喚起し、思考を整理しなおし、多少なりとも未来に向けて物事を考察する一助に本書がなるなら、著者としてこれほどうれしいことはない。

そして今回も『サンデー毎日』の連載時から本書の刊行に至るまで担当編集者の向井徹くんにお世話になった。〆切りに追われ、しかも尻を叩かれなければ仕事をしない怠惰な私がこうして4冊もの時評集を積み重ねられたのは、なにもかもすべて向井くんのおかげである。同時に連載コラムや寄稿記事を常に引き受けてくれた同誌の歴代編集長にもお礼を申しあげねばならない。もちろん、誰よりも読者のみなさんに心からの感謝を捧げる。

最後になるが、そのときどきに雑誌で発表した時評集であるため、発表時のダイナミズムや記録性を重視して加除修正などは最小限にとどめ、それぞれの原稿に雑誌掲載日時などを明記した。したがってテーマや記述内容にいくつか重複などがあることもお許しいただきたい。また、登場人物の肩書きなどは多くが記事発表当時のままであり、一部の原稿では敬称や呼称を略したこともお断りしておく。

2021年9月9日、ろくでもないことばかりの東京の、その片隅のアジトのような仕事場で

青木理

破壊者(はかいしゃ)たちへ

二〇二一年一〇月　五　日　第一刷
二〇二一年一〇月二五日　第二刷

著者　青木(あおき)　理(おさむ)
発行人　小島明日奈
発行所　毎日新聞出版
〒一〇二-〇〇七四　東京都千代田区九段南一-六-一七　千代田会館五階
電話　営業本部〇三-六二六五-六九四一
図書第二編集部〇三-六二六五-六七四六
印刷・製本　中央精版印刷

ISBN978-4-620-32704-4